Het Midden-Oosten

ISRAËL EN PALESTINA

John King

Corona
Een imprint van Ars Scribendi Uitgeverij

© 2006 Harcourt Education Ltd
Oorspronkelijke titel Israel and Palestine
© 2006 *Nederlands Taalgebied*
Ars Scribendi BV, Etten-Leur, NL

Productie De Laude Scriptorum BV, Etten-Leur, NL

Vertaling Eduard J. Richter

Vormgeving ROOS dtp-service, Velp (Gld.)

ISBN: 90-5495-959-2
EAN : 978-90-5495-959-5

Fotoverantwoording
De auteur en uitgevers danken de volgende
instellingen voor de toestemming hun
afbeeldingen te gebruiken:
AKG-Images p. 6 (Erich Lessing); Camera Press
pp. 10, 18 (Gianni Muratore), 28 (Kevin Unger);
Corbis pp. 1 (Ricki Rosen), 5 (Ricki Rosen/SABA),
9, 12 (David S. Bover), 15 (David Rubinger),
19 (Genevieve Chauvel/Sygma), 31 (Ricki
Rosen/SABA), 33 (Antoine Gyori/Sygma), 37
(Peter Turnley), 38 (Patrick Robert/Sygma), 39
(David Rubinger), 40 (Ron Sachs/Sygma), 46
(Havakuk Levison);
Empics p. 4 (EPA); Getty Images pp. 16 (David
Rubinger), 22 (Daniel Rosenbaum), 23 (Keystone),
25 (David Rubinger), 26 (Uzi Keren/GPO), 29
(David Rubinger), 30 (David Rubinger), 35 (Nabil
Ismail), 36 (MPI), 43 (Stephen Jaffe), 44 (David
Silverman);
Popperfoto.com p. 20; Reuters pp. 42 (Khaled
Zighari), 45 (Reinhard Krause), 47 (Gadi Kabalo);
Rex Features 32 (SIPA), 34 (SIPA); Topfoto.co.uk
pp. 13, 14, 21, 24, 27;
Werner Forman Archive p. 7.

De foto op de omslag toont hoe Palestijnse
jongeren stenen gooien naar een Israëlische tank,
Hebron 2003 (Empics/EPA).

De in dit boek gebruikte kaarten zijn
geproduceerd door Encompass Graphics Ltd.

Alle mogelijke moeite is gedaan om contact op te
nemen met houders van auteursrechten op
materialen gebruikt in dit boek.
Eventuele weglatingen zullen in volgende uitgaven
worden gerectificeerd als de uitgevers daarvan op
de hoogte worden gesteld.

Het papier gebruikt voor dit boek komt uit
duurzame bronnen.

Inhoud

Sommige woorden zijn **vetgedrukt**, zoals deze. Je kunt de betekenis van deze woorden opzoeken in de verklarende woordenlijst.

Gestorven op een kruispunt

Op 30 september 2000 waren de 12 jaar oude Palestijnse jongen Mohammed al-Dura en zijn vader Jamal in een taxi op weg naar huis na een bezoek aan een markt voor tweedehands auto's in de Gazastrook. De chauffeur weigerde het kruispunt bij de joodse nederzetting Netzarim over te steken. Op dit kruispunt vond een confrontatie plaats tussen stenen gooiende Palestijnse jongeren en Israëlische soldaten. De troepen hadden het vuur op de jongeren geopend en de taxichauffeur wilde niet het risico lopen geraakt te worden.

Deze confrontatie werd gefilmd door een Palestijnse cameraman. Jamal en zijn zoon probeerden de straat lopend over te steken, maar moesten achter een muurtje dekking zoeken voor het geweervuur. Mohammed werd door verschillende kogels geraakt en zakte ineen. Hij stierf op weg naar het Al-Shifa ziekenhuis in de Gazastrook. Zijn vader Jamal werd ook geraakt maar herstelde van zijn verwondingen. Israël bood later officieel zijn excuses aan voor het overlijden van Mohammed.

Mohammed al-Dura en zijn vader zoeken dekking achter een muurtje voor het geweervuur van Israëlische soldaten die het kruispunt bij de joodse nederzetting Netzarim in de Gazastrook verdedigen.

Het geweld was in de twee dagen daarvoor tot uitbarsting gekomen. Op 28 september bracht de Israëlische politicus en latere premier Ariël Sharon een omstreden bezoek aan de **Tempelberg** in Oost-Jeruzalem.

> **" Het geweervuur hield 45 minuten lang aan. Ik schreeuwde om een ambulance, en riep: 'Mijn kind gaat dood'. "**
> *(Jamal al-Dura de dag na het overlijden van zijn zoon in het Al-Shifa ziekenhuis)*

Ariël Sharon tijdens zijn bezoek aan de Tempelberg op 28 september 2000. Dit bezoek zou het startsein zijn voor de Al-Aqsa Intifadah.

> **" Als Palestijnse politieagenten de jongen hadden willen redden hadden ze het kind kunnen helpen. "**
> *(De Israëlische kabinets-secretaris Jitschak Herzog op de Israëlische televisie)*

De Tempelberg is een belangrijke religieuze plaats voor zowel de joden als de moslims. Sharon wilde laten zien dat hij als Israëlisch en joods leider overal in het Heilige Land kon gaan en staan waar hij wilde, ook in gebieden die door de Palestijnen worden opgeëist. De Palestijnen vatten dit op als een provocatie en kwamen in opstand. De **Al-Aqsa**, of Tweede, **Intifadah** is de zoveelste gewelddadige uitbarsting in het decennialange conflict tussen Israël en de Palestijnen

GEWELD TEGEN DE ISRAËLIËRS

Behalve Palestijnse kinderen zijn ook Israëlische kinderen het slachtoffer van de gewelddadigheden van de Al-Aqsa Intifadah. In augustus 2003 stierven bijvoorbeeld vijf kinderen bij een zelfmoordaanslag waarbij in totaal 18 mensen omkwamen. Een Palestijnse extremist had zichzelf opgeblazen in een bus. De doktoren moesten kinderen met door bloed besmeurde gezichten wegdragen. Een babymeisje stierf in het ziekenhuis voordat de artsen haar ouders hadden kunnen vinden.

Twee volkeren, één land

Hoe begon het bittere conflict tussen de joodse Israëliërs en de Palestijnen?
Het conflict kent zijn oorsprong in het einde van de 19de en het begin van de 20ste eeuw. In deze periode begonnen steeds meer joden zich te vestigen in het land dat bewoond werd door Palestijnse Arabieren. Sindsdien hebben beide groepen om het land en het recht om hier te leven met elkaar gestreden.

De joodse claim op het land Israël gaat terug tot de bijbelse tijd. Tot het einde van de eerste eeuw na Christus leefden de joden in het gebied dat nu bekend staat als Israël, en wat toen een provincie was van het Romeinse Rijk. De joden kwamen in opstand tegen de Romeinse overheersing maar werden vernietigend verslagen door de Romeinen. Sommige joden vluchtten naar andere landen terwijl anderen achterbleven. Sindsdien leefde het grootste deel van de joden in verschillende landen over de hele wereld.

Op dit schilderij van Nicolas Poussin, uit de 17de eeuw, vernietigt de Romeinse keizer Titus de joodse tempel in Jeruzalem, een gebeurtenis uit het jaar 70 na Christus.

De Arabieren hebben eeuwenlang in hetzelfde gebied geleefd.
Nadat de profeet Mohammed in 610 na Christus het islamitische geloof had gesticht veroverden legers van de moslims het grootste deel van het oude Oost-Romeinse Rijk. Tot de nieuwe moslimgebieden behoorde ook het land Palestina, het huidige Israël. De meeste Palestijnen bekeerden zich tot de islam. Vrijwel allemaal leerden ze de Arabische taal, de taal die de Palestijnen ook nu nog spreken.

Dit schilderij beeldt het Arabische leven door de ogen van een moslim kunstenaar uit de 16de eeuw uit. Afgebeeld zijn de voorbereidingen voor een groot feest.

Het Britse mandaat

Vanaf 1921 werd Palestina bestuurd door Groot-Brittannië, als **mandaatgebied** van de **Volkenbond**. Tijdens deze periode als Brits mandaatgebied trokken duizenden joden weg uit Europa om zich te vestigen in Palestina. Dit leidde algauw tot confrontaties tussen de Arabieren en de joden.

Groot-Brittannië verdeelde het mandaatgebied in twee delen (zie de kaart hieronder). Ten oosten van de rivier de Jordaan stichtten de Britten de staat Transjordanië. Ten westen van de rivier namen ze de controle over het gebied Palestina.

Voor de **Tweede Wereldoorlog** vertrokken er al joden vanuit Europa naar Palestina, waar van oorsprong al joden woonden in Jeruzalem en andere steden. Veel van de joden die naar Palestina verhuisden werden geïnspireerd door de **zionistische beweging**. De zionisten voerden campagne voor de stichting van een joodse gemeenschap in Palestina, 'Zion'. De leider van de zionisten, Theodor Herzl, zei dat de joden terug moesten keren naar Palestina, hun eeuwenoude thuisland, waar ze eindelijk weer in een eigen land zouden kunnen wonen.

Tijdens de Eerste Wereldoorlog had de Britse minister van

DE MANDAAT-GEBIEDEN

De mandaatgebieden van de Volkenbond waren de gebieden in het Midden-Oosten waarover Frankrijk en Groot-Brittannië na de Eerste Wereldoorlog de controle kregen. Toen in 1914 de Eerste Wereldoorlog uitbrak streed het Ottomaanse Rijk, de Turkse macht die in deze regio domineerde, aan de zijde van Duitsland. Toen de oorlog in 1918 ten einde kwam verloren de verslagen Turken de controle over hun Arabische gebiedsdelen. In 1921 vroeg de Volkenbond, een organisatie die de voorloper is van de huidige Verenigde Naties, aan Groot-Brittannië en Frankrijk om de Arabische landen in het Midden-Oosten te besturen totdat deze landen 'klaar zouden zijn voor zelfbestuur'.

Groot-Brittannië en de Arabieren, 1917-1971

Voormalige Turkse gebieden worden Britse mandaatgebieden, 1921

Arabische staten die de Britten hielpen in de oorlog tegen de Turken, 1915-'18

Arab. gebied gecontroleerd door Britten, 1914

Voormalige Turkse gebieden worden Franse mandaatgebieden, 1920

Middellandse Zee
SYRIË
LIBANON
PALESTINA
Damascus
Bagdad
Jeruzalem
IRAK
Cairo
TRANSJORDANIË
EGYPTE
KOEWEIT
Medina
QATAR
Perzische Golf
Golf van Oman
Riaad
VERDRAGS-STATEN
OMAN
Djeddah
Mekka
SAOEDI-ARABIË
Rode Zee
Arabische Zee
N
ACHTERLAND VAN ADEN
JEMEN
0   480   960 km
Aden

Deze kaart toont de Britse invloed in de Arabische wereld na de Eerste Wereldoorlog.

Buitenlandse Zaken Arthur Balfour namens Groot-Brittannië beloofd dat joodse immigratie naar Palestina zou worden toegestaan. Als gevolg daarvan kwamen in de jaren '20 en '30 vele joden naar Palestina. In 1914 waren er 80.000 joden en 500.000 Palestijnse Arabieren in Palestina. In 1948 waren er op een totaal van 2 miljoen inwoners 650.000 joden. Een derde van de totale bevolking van Palestina was nu joods.

Deze groeiende joodse bevolking zorgde ervoor dat de Palestijnen zich steeds meer zorgen gingen maken om het verliezen van de controle over hun grondgebied. In 1936 was er een grote Palestijnse opstand tegen de joden en de Britse autoriteiten. Deze opstand werd neergeslagen.

In 1939 begon de **Tweede Wereldoorlog**. De Verenigde Staten, Groot-Brittannië en hun bondgenoten wisten de strijd in 1945 in hun voordeel te beslissen. De joden hadden tijdens de oorlog in Europa gruwelijk geleden: miljoenen joden werden door de nazi's vermoord. Als gevolg hiervan had het idee van een joods thuisland in Palestina nog meer aanhang gekregen.

Britse troepen proberen Palestijnse relschoppers in het oude stadscentrum van Jeruzalem terug te dringen (1936). De rellen ontstonden als gevolg van de Britse toezegging aan de joden om immigratie naar Palestina toe te staan.

Israël wordt geboren

De moord op zes miljoen doden door de nazi's tijdens de Tweede Wereldoorlog staat bekend als de **holocaust**. Deze gruwelijke daad vergrootte de wens van de joden om een eigen land te hebben. Maar in Palestina was er nog steeds een conflict tussen de joden en de Arabieren.

In 1947 maakte Groot-Brittannië bekend dat men het mandaat weer terug wilde geven aan de Verenigde Naties, de organisatie die na de oorlog de Volkenbond zou vervangen. In november van dat jaar besloten de Verenigde Naties om Palestina in twee delen op te splitsen, één voor de Arabische en voor de joodse gemeenschap. Jeruzalem zou een afgescheiden Internationale Zone onder toezicht van de Verenigde Naties worden.

Op 14 mei 1948, na het beëindigen van het Britse mandaat, riep de joodse leider David Ben-Goerion de staat Israël uit. Vervolgens werd Ben-Goerion ook de eerste premier van Israël.

DE HOLOCAUST

Gedurende de Tweede Wereldoorlog probeerden de nazi's de joodse bevolking in Europa uit te roeien. Joden uit alle delen van Europa werden naar dodenkampen in Duitsland en Polen getransporteerd, waar de meesten van hen de dood vonden. Nergens waren de joden veilig.
Als gevolg van de holocaust vonden zes miljoen joden de dood.

Israëliërs vieren het uitroepen van de staat Israël op 14 mei 1948.

De nieuwe staat Israël kreeg steun van de Amerikaanse president Harry Truman en de joodse gemeenschap in de Verenigde Staten. De Arabieren weigerden de opdeling van Palestina te erkennen. Er waren meer Arabieren dan joden in het 'joodse' deel, en de Arabieren bezaten het grootste deel van het grondgebied. De Arabieren besloten de joden aan te vallen.

Ze werden hierin gesteund door de Arabische buurlanden, die ook troepen stuurden. Maar de joodse troepen waren goed voorbereid en vochten hard terug. De wapens van de joden waren betaald met buitenlandse steun.

De joodse legers wisten het grootste deel van Palestina te veroveren, waaronder ook het weste- lijke deel van de stad Jeruzalem. De Arabieren wisten de controle over de Oude Stad te behouden. In januari 1949 kwamen de gevechten tot een einde, hoewel geen van beide partijen de vrede verklaarde. In juni 1948 waren reeds 300.000 Palestijnse Arabieren hun huizen ontvlucht, en zij zouden later nog door honderdduizenden gevolgd worden. Dit waren de eerste Palestijnse vluchtelingen.

> **❝ De overwinning in de Onafhankelijkheidsoorlog, hoe glorieus ook, kostte ons 5.000 of meer kostbare levens. Maar als er ooit joodse levens niet zonder nut verloren zijn gegaan dan was het nu. ❞**
>
> (David Ben-Goerion in Israël, Years of Challenge)

Linksonder: De gebieden die toegewezen waren aan de joden en Arabieren in de opsplitsing zoals goed- gekeurd door de Verenigde Naties.

Rechtsonder: De gebieden die door de Israëliërs werden veroverd tijdens het conflict van 1948-1949.

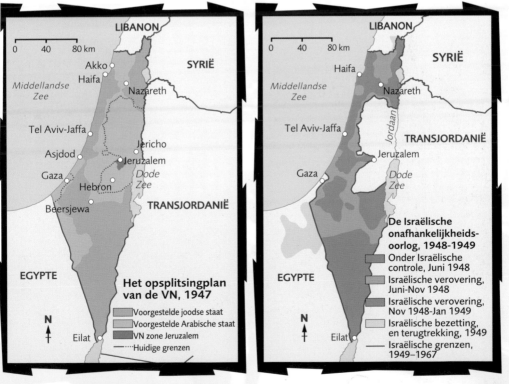

Het opsplitsingplan van de VN, 1947

- Voorgestelde joodse staat
- Voorgestelde Arabische staat
- VN zone Jeruzalem
- ┄┄ Huidige grenzen

De Israëlische onafhankelijkheids- oorlog, 1948-1949

- Onder Israëlische controle, Juni 1948
- Israëlische verovering, Juni-Nov 1948
- Israëlische verovering, Nov 1948-Jan 1949
- Israëlische bezetting, en terugtrekking, 1949
- Israëlische grenzen, 1949–1967

Palestijnse vluchtelingen

Volgens de Verenigde Naties waren er tijdens de gevechten tussen april en december 1948 725.000 Palestijnen gevlucht of gedwongen te vertrekken uit Palestina. Van hen vertrokken er 470.000 naar de twee delen van Palestina die nog niet onder controle stonden van de joden: het gebied dat bekend kwam te staan als de Gazastrook, in het zuiden van het land, en het gebied dat bekend stond als de Westelijke Jordaanoever. In beide gebieden werden snel vluchtelingenkampen opgezet.

De andere Palestijnen vluchtten naar de Arabische buurlanden. Libanon nam er ongeveer 100.000 op, Syrië ongeveer 75.000 en Jordanië (zoals Transjordanië vanaf 1947 heette) ongeveer 70.000. De Verenigde Naties raakten algauw betrokken, waarna de United Nations Relief and Works Agency (**UNRWA**) werd opgericht om op het welzijn van de vluchtelingen toe te zien. Sommige vluchtelingen, vooral zij in Transjordanië, vertrokken uit de kampen om een nieuw leven in hun gastland op te bouwen. Maar voor de meesten van de Palestijnen begon het lange wachten, hopen op de dag dat ze terug konden keren naar hun huis.

Arabische families tijdens het conflict in 1948, lopend vanuit het gebied rond Haifa naar de veiligheid achter de Arabische linies van de Westelijke Jordaanoever.

De Gazastrook en de Westelijke Jordaanoever kwamen algauw onder controle te staan van de Arabische landen waaraan deze gebieden grenzen. Koning Abdoellah ibn Hoessein I van Jordanië **annexeerde** de Westelijke Jordaanoever en Oost-Jeruzalem. In 1947 had koning Hoessein de naam van het land veranderd in het '**Hasjemitisch Koninkrijk Jordanië**'. Egypte nam de controle over de Gazastrook over maar maakte het geen officieel onderdeel van Egypte. De Egyptische strijdkrachten zouden echter ook na het beëindigen van de gevechten in de Gazastrook aanwezig blijven.

In de jaren na 1948 hebben de Palestijnen zich wijd verspreid over de Arabische wereld en zelfs verder (zie pagina's 28 & 29). De meeste Palestijnen dromen echter nog steeds van een terugkeer naar hun huis, dat zij achterlieten in Palestina.

Een Palestijnse moeder stelt haar kind gerust terwijl de oorlog om hen heen woedt (1948).

> **Men moet niet vergeten dat de zwaarste last gedragen wordt door de vluchtelingen zelf.**
>
> *(De Commissaris-Generaal van de UNRWA spreekt over de benarde positie van de Palestijnse vluchtelingen)*

Een land opbouwen

De joden hadden een nieuw land, Israël, gesticht en waren van plan om hun plaats tussen de andere landen in de wereld in te nemen. De stichters van de staat Israël waren altijd van plan geweest om het land **democratisch** in te richten. De eerste Israëlische algemene verkiezingen werden in januari 1949 georganiseerd. De kiezers kozen vertegenwoordigers voor het nationale parlement, bekend als de **Knesset**.

De eerste premier, David Ben-Goerion, was een charismatisch persoon. Voor de onafhankelijkheid had hij leiding gegeven aan de Joodse Raad, de organisatie die later de regering zou vormen. Ook had hij leiding gegeven aan de joodse defensiemacht, de Hagana. Nadat Israël onafhankelijk was geworden zou de **Hagana** de basis vormen voor het Israëlische leger. Ben-Goerion zou tussen 1948 en 1953 en opnieuw tussen 1955 en 1963 als premier leiding geven aan de regering.

ISRAËL EN DE VERENIGDE STATEN

Israël heeft veel steun gehad aan de Verenigde Staten. De Verenigde Staten waren bijvoorbeeld het eerste land dat de staat Israël erkende. In mei 1949 zorgde de Amerikaanse steun ervoor dat Israël lid werd van de Verenigde Naties.

De eerste Israëlische premier David Ben-Goerion (hij draagt een pak) tijdens een parade op de Dag van de Onafhankelijkheid (1950).

Israël had tot doel een gemeenschap te vormen waar alle joden gelijke kansen hadden om een goed leven te leiden. De **Kibboets** beweging had bijvoorbeeld een belangrijke rol in deze nieuwe gemeenschap. Kibboetsiem waren boerderijen waar het land en de meeste bezittingen gedeeld bezit waren. Tegelijkertijd groeiden de steden en werd het stadsleven steeds comfortabeler. Het leven was echter niet goed voor iedereen: Arabieren die op het Israëlische grondgebied woonden leefden tot 1966 onder Israëlische militaire heerschappij.

Na de onafhankelijkheid nam de joodse immigratie naar Israël snel toe. In de Knesset was een wet aangenomen die heette 'het recht om terug te keren'. Deze zorgde ervoor dat joden overal ter wereld het recht hadden om Israëlisch staatsburger te worden. Tussen 1948 en 1951 kwamen er 600.000 joden naar Israël. Dat waren net zoveel nieuwe inwoners als er in de dertig jaar daarvoor naar Israël waren gekomen. De nieuwe Israëliërs kwamen uit Europa, Noord- en Zuid-Amerika en uit de Arabische wereld, waaronder Jemen, Irak, Marokko en andere landen. Land waarvan de Palestijnen vonden dat het hen toebehoorde werd binnen korte tijd ingenomen door Israëlische kolonisten. Conflicten tussen de beide groepen leken onafwendbaar.

Nieuwe Israëliërs uit Noord-Afrika arriveren bij een nederzetting van boerderijen in de noordelijke regio Galilea.

❝ Gisteren plantte ik voor het eerst aardappelen. De regen was opgehouden en de lucht rook lekker. Nooit eerder had ik me zo dicht bij mijn land gevoeld... ❞

(Uit een brief van een jonge joodse migrant in Israël)

Oorlogen en hun nasleep: 1956 & 1967

Hoewel de gevechten in 1949 waren opgehouden bleven Israël en de Arabische staten met elkaar in oorlog. In de jaren die zouden volgen zouden de gevechten nog een aantal malen oplaaien.

In november 1956 nam Israël deel aan een Britse en Franse aanval op Egypte. Deze aanval was het gevolg van een meningsverschil over het Suezkanaal. Israël sloot zich aan bij het conflict omdat het land beweerde bedreigd te worden door Egypte en omdat het een bondgenootschap wilde met Frankrijk en Groot-Brittannië. De aanval op Egypte faalde uiteindelijk.

In 1967 was president Djamal'Abd al-Nasser van Egypte inmiddels een machtige Arabische leider geworden. Hij begon zich uit te spreken over een nieuwe Arabische aanval op Israël om de Palestijnse gebieden op te eisen. In mei 1967 leek oorlog onvermijdelijk. Op 5 juni 1967 sloeg Israël als eerste toe door de Egyptische luchtmacht te vernietigen. Syrië en Jordanië voegden zich bij Egypte in de strijd en de gevechten duurden voort tot 10 juni.

❝ De Israëlische defensiemacht heeft vandaag Jeruzalem bevrijd...We zijn teruggekeerd naar de meest heilige van onze heiligdommen, en zullen er nooit meer afstand van doen. ❞
(Generaal Mosje Dajan, de Israëlische minister van Defensie, 7 juni 1967)

Israëlische leger-voertuigen houden even halt tijdens hun opmars door de Gazastrook tijdens de oorlog van 1967.

Toen de oorlog van 1967 afliep had Israël een klinkende overwinning behaald door de **Sinaï** woestijn te veroveren op de Egyptenaren, de Golan Hoogvlakte op de Syriërs en de Westelijke Jordaanoever op de Jordaniërs. Israël had ook Oost-Jeruzalem veroverd, waaronder ook het deel waar de joodse heilige plaatsen zich bevinden. Tot woede van de Arabieren betekende dit dat Israël nu niet alleen de controle had over de joodse en christelijke, maar ook de islamitische heilige plaatsen. Uiteindelijk had de oorlog van 1967 tot gevolg dat nog eens 178.000 Palestijnen naar de buurlanden vluchtten, terwijl 115.000 Syriërs gedwongen werden om de Golan Hoogvlakte te verlaten.

Israël gaf de Sinaï in 1982 terug aan Egypte, maar behield de Golan Hoogvlakte. Met betrekking tot de Westelijke Jordaanoever wilde Israël een deel van het grondgebied behouden en een deel teruggeven aan Jordanië. Maar Jordanië weigerde genoegen te nemen met slechts een gedeelte, en dus behield Israël het gehele grondgebied.

In 1968 werden reeds de eerste joodse nederzettingen op de Westelijke Jordaanoever gebouwd. Joodse kolonisten begonnen te verhuizen naar wat ooit Arabisch grondgebied was geweest. Terwijl de jaren voortgingen werden er steeds meer nederzettingen gebouwd. De Palestijnen gingen de Israëliërs nog meer haten toen ze steeds meer land en waterbronnen verloren aan de joodse kolonisten.

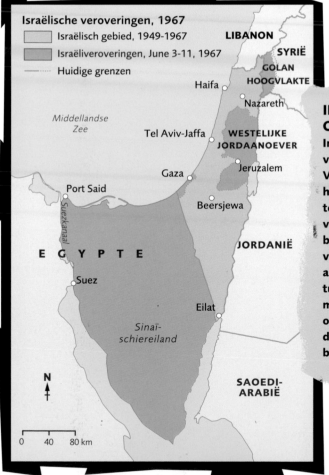

Israëlische veroveringen, 1967
- ▢ Israëlisch gebied, 1949-1967
- ▨ Israëliveroveringen, June 3-11, 1967
- ⸺ Huidige grenzen

LIBANON
SYRIË
GOLAN HOOGVLAKTE
Haifa
Nazareth
Middellandse Zee
Tel Aviv-Jaffa
WESTELIJKE JORDAANOEVER
Jeruzalem
Gaza
Port Said
Beersjewa
Suezkanaal
JORDANIË
E G Y P T E
Suez
Eilat
Sinaï-schiereiland
SAOEDI-ARABIË

N
↑

0   40   80 km

Israëlische gebieden na het conflict van 1967.

INTERNATIONALE ONDERHANDELINGEN

In 1967 riep Resolutie 242 van de Veiligheidsraad van de Verenigde Naties Israël op om het in 1967 veroverde land terug te geven in ruil voor vrede met de Arabische buurlanden. Resolutie 242 vormt sindsdien de basis van alle vredesonderhandelingen tussen Israël en de Arabieren, maar er is nog steeds geen overeenstemming over hoe deze vrede kan worden bereikt.

17

De Palestijnen en de PLO

Vanaf 1967 kwamen de Palestijnen die in de Gazastrook of de Westelijke Jordaanoever bleven onder de heerschappij van Israël. In het begin accepteerden zij deze situatie met verbazingwekkende kalmte. Maar zowel binnen als buiten de Westelijke Jordaanoever en de Gazastrook zou de Palestijnse oppositie tegen Israël onder het leiderschap van Jasir Arafat steeds meer gestalte krijgen.

Palestijnse rebellen van de al-Fatah beweging vieren in 2002 feest ter ere van de oprichtingsverjaardag van hun beweging.

" Ik was onder de indruk van zijn duidelijke leiderschaps-kwaliteiten toen ik hem de man-schappen zag trainen. Hij was zeer gedreven, erg taai en enthousiast. "

(Abu Iyad, één van de oprichters van al-Fatah en één van de beste vrienden van Arafat, spreekt over Arafat)

In 1964 richtte een groep verbannen Palestijnen, aangemoedigd door de Egyptische president Nasser, de **PLO** (Palestijnse Bevrijdingsorganisatie) op. Hun doel was om Palestina te bevrijden voor de Arabieren. Binnen de PLO werden verschillende **guerrilla** bewegingen opgericht, waaronder één die **al-Fatah** heette en waarvan Jasir Arafat de leider was. Arafat organiseerde een kleine groep strijders om zich heen om doelen in Israël aan te vallen.

Na de Arabische nederlaag in 1967 begon de PLO zich te realiseren dat zij in plaats van te vertrouwen op andere landen zelf actie moest gaan ondernemen om de Palestijnen te helpen. Dit was het doel van Jasir Arafat. In 1969 werd hij voorzitter van de Uitvoerende Raad van de PLO, de hoogste positie binnen de organisatie. Al-Fatah, dat onder leiding stond van Arafat, was de belangrijkste groepering binnen de PLO. In de PLO werden Palestijnse gemeenschappen van zowel binnen als buiten Palestina vertegenwoordigd in verschillende instituties. De belangrijkste van deze was de Palestijnse Nationale Raad, een soort parlement waarin de meeste Palestijnse groeperingen zitting hadden.

Het oorspronkelijke doel van de PLO was om al het land van het mandaatgebied Palestina terug te nemen inclusief het gebied dat nu Israël is. Het Palestijnse Nationale Handvest erkende Israël niet. Het Handvest stelde dat wanneer de Palestijnse overwinning behaald was, hoe lang dat ook mocht duren, de staat Israël zou worden ontbonden, en dat slechts een handvol joden die hun oorsprong kennen in Palestina zou mogen blijven. Dit gaf de Israëlische joden een belangrijke reden om zich zorgen te maken over de PLO.

De Palestijnse leider Jasir Arafat toen hij 40 jaar oud was. Deze foto werd genomen in 1969, toen Arafat en zijn al-Fatah beweging nog in Jordanië gevestigd waren.

JASIR ARAFAT

Arafat werd in 1929 in Cairo geboren, al beweerde hij in Jeruzalem geboren te zijn, in een Palestijns gezin uit Gaza-Stad en groeide op in Egypte. Hij was civiel ingenieur van beroep en werkte lange tijd met succes in Koeweit. Arafat reikte snel tot de top van de PLO en verbleef het grootste deel van zijn leven in ballingschap in Jordanië, Libanon en Tunesië terwijl hij over de hele wereld reisde om steun te verwerven voor de Palestijnen. Hij keerde uiteindelijk op 1 juli 1994 terug naar Palestina en werd de eerste president van de Palestijnse Autoriteit. Hij overleed op 11 november 2004.

Terrorisme als Wapen

In 1970 opereerden de meeste Palestijnse guerrillagroeperingen vanuit Jordanië. De guerrilla's begonnen de autoriteit van koning Hoessein te betwisten. Regelmatig vonden er gewelddadige conflicten plaats tussen de gewapende Palestijnen en de Jordaanse troepen en politie. De guerrilla's hadden de controle over sommige delen van het land, en zelfs over een deel van de hoofdstad Amman. De Palestijnen gebruikten Jordanië als uitvalsbasis voor hun aanvallen op Israël. Dit leidde tot Israëlische wraakacties op Jordanië.

1970: buitenlandse vliegtuigen worden opgeblazen nadat ze door Palestijnen gekaapt waren en naar Jordanië waren gevlogen.

Op 6 september 1970 wisten de Palestijnse guerrilla's de aandacht van de gehele wereld op zich te vestigen. Ze kaapten vier internationale vliegtuigen en lieten die ontploffen op Dawson's Field, een vervallen vliegveld in Jordanië. Er vielen geen doden in dit incident. Na dagenlang gevangen te zijn gehouden werden de 360 passagiers en bemanningsleden ongedeerd vrijgelaten. Zestien joden die zich onder de gijzelaars bevonden werden nog een maand langer vastgehouden voordat ook zij werden vrijgelaten.

Jasir Arafat spreekt op 13 december 1988 tijdens een speciale sessie de Algemene Vergadering van de Verenigde Naties toe. In deze historische toespraak zei hij dat de PLO het terrorisme de rug toe zou keren.

> **Vandaag ben ik gekomen met in mijn handen een olijftak [een traditioneel symbool voor vrede] en het geweer van een vrijheids-strijder. Zorg ervoor dat ik de olijftak niet uit mijn handen laat vallen!**
> *(De voormalige Palestijnse leider Jasir Arafat spreekt op 13 november 1974 de Verenigde Naties toe)*

Koning Hoessein was woedend. Hij gaf zijn leger opdracht om de Palestijnse guerrilla's aan te vallen en uit het land te verjagen. De Palestijnse strijders gingen vervolgens naar Syrië en Libanon. De meeste Palestijnse burgers bleven echter achter in Jordanië, waar zij inmiddels 50 procent van de totale bevolking uitmaken.

Veel Palestijnen waren ervan overtuigd geraakt dat terrorisme de beste methode was om de aandacht van de wereld op de Palestijnse zaak te vestigen. In september 1972 doodden Palestijnse terroristen elf Israëlische atleten tijdens de Olym-pische Spelen in München in West-Duitsland. De terroristen noemden hun groepering 'Zwarte September' als herinnering aan de gebeurtenissen op Dawson's Field twee jaar eerder.

In november 1974 werd Jasir Arafat uitgenodigd om in New York de Algemene Vergadering van de Verenigde Naties toe te spreken. In zijn toespraak leek hij aan te geven dat hij liever over vrede wilde onderhandelen dan door te vechten. De PLO kreeg van de Verenigde Naties de status van **Waarnemer** toebedeeld. Maar Palestijnse terro-risten bleven onderwijl hun aanvallen uitvoeren. In 1976 kaapte een groepering een Frans vliegtuig in Oeganda, maar de passagiers zouden worden bevrijd door Franse commando's.

DE ACHILLE LAURO
De laatste Palestijnse kapingen vonden plaats in de jaren '80. In 1985 werd het Italiaanse cruise-schip Achille Lauro in de Middel-landse Zee gekaapt en werd een gehandicapte joodse gijzelaar overboord gegooid. In 1986 werd nog een vliegtuig gekaapt, waarbij 20 passagiers de dood vonden. In 1988 sprak Arafat opnieuw de Algemene Vergadering van de Verenigde Naties toe, waarbij hij toezegde het terrorisme af te zweren en het bestaansrecht van Israël te erkennen.

De Yom Kippoer-oorlog (1973)

In 1970 overleed de Egyptische president Nasser en werd Mohammed Anwar al-Sadat benoemd tot zijn opvolger. Sadat was vastbesloten om de nederlaag van 1967 te wreken en Egypte een sterke positie te verschaffen in de vredesonderhandelingen met Israël. Op 6 oktober 1973, de joodse feestdag Jom Kippoer, opende Sadat de aanval op de Israëlische troepen die zich op de oostelijke oever van het Suezkanaal bevonden.

De Egyptenaren heroverden een deel van het Sinaïschiereiland, maar in een Israëlische tegenaanval leidde generaal Ariël Sharon een tankaanval over het Suezkanaal ten zuiden van de Egyptische posities. Het gevolg was een militaire patstelling. Egypte kon geen nieuwe veroveringen doen op het Sinaïschiereiland, terwijl de Israëliërs niet in staat waren om hun aanvalsmacht verder Egypte in te voeren. Er vonden ook gevechten plaats aan de Syrische grens, maar de grens tussen het door de Israëliërs bezette gebied en Syrië bleef vrijwel ongewijzigd.

Israëlische troepen met geblinddoekte Egyptische soldaten, krijgsgevangen gemaakt tijdens de Israëlische tegenaanval in de oorlog van 1973.

Toen de gevechten beëindigd werden bleek
dat de oorlog niet goed was verlopen voor
Israël. De Israëlische (vrouwelijke) premier
Golda Meir stapte op. In de algemene
verkiezingen van 1977 werd de regering van
de Arbeiderspartij verslagen door de Likoed
Partij onder leiding van Menachem Begin.
De Likoed Partij was minder geïnteresseerd in
het sluiten van een verdrag met de Palestijnen
dan de Arbeiderspartij.

De Verenigde Staten hielpen bij het
organiseren van een vredesconferentie na
afloop van de oorlog van 1973. Het land wilde
graag bijdragen aan een overeenkomst tussen
de strijdende partijen, zodat toekomstige
gevechten in ieder geval konden worden
voorkomen. Uiteindelijk zouden de beide
partijen elkaar slechts één keer ontmoeten,
zonder een overeenkomst te bereiken.

> **❝ Kijk, dit is de eerste keer dat
> wij een oorlog tussen ons beëin-
> digd hebben als gelijken. Wij kun-
> nen zeggen dat we gewonnen
> hebben, en jullie kunnen zeggen
> dat het onbeslist was. Vanuit deze
> situatie kunnen we met elkaar
> onderhandelen. Deze keer willen
> we een einde maken aan het
> conflict. ❞**
> *(Generaal Gamasy, de Egyptische
> onderhandelaar voor vrede in 1973,
> richt zich tot de Israëlische
> onderhandelaar Generaal Tal)*

Menachem Begin, die
geboren werd in
Rusland, was de eerste
premier van Israël
namens de Likoed
Partij. Voor het eerste in
de Israëlische
geschiedenis was de
premier geen lid van de
Arbeiderspartij.

Camp David: vrede tussen Israël en Egypte

De Egyptische president Sadat was ervan overtuigd dat Israël onterecht het land van de Palestijnen had bezet. Maar hij geloofde ook dat de tijd gekomen was om vrede te sluiten met Israël, en zijn land te bevrijden van de lasten van de oorlog.

In 1977 verbaasde Sadat de gehele wereld door bekend te maken dat hij binnen korte tijd van plan was om naar Israël te vliegen om het Israëlische parlement, de Knesset, toe te spreken. Op 19 november 1977 begroette de Israëlische premier Menachem Begin de Egyptische president Sadat op het Ben-Goerion vliegveld in Tel Aviv. Begin en Sadat reisden naar Jeruzalem waar Sadat een historische toespraak zou houden voor de Knesset.

> **❝ Ik kom vandaag persoonlijk naar u om een nieuw leven te beginnen en vrede te bereiken. Stelt u zich eens voor, een vredesovereenkomst die wij in Genève aan een wereld die dorst naar vrede bekend kunnen maken... ❞**
>
> *(Sadat spreekt tot de Knesset, november 1977)*

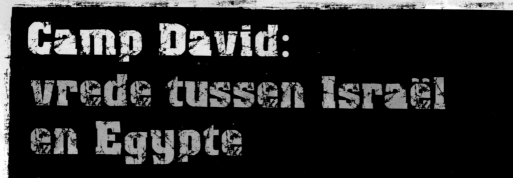

De Amerikaanse president Jimmy Carter (midden) met de Israëlische premier Menachem Begin (rechts) en president Sadat van Egypte (links) in Camp David na de ondertekening van het vredesverdrag, 1979.

Na het bezoek van Sadat aan Israël nodigde de Amerikaanse president Jimmy Carter in september 1978 de beide leiders uit voor een vredesconferentie in **Camp David** in de Amerikaanse staat Maryland. Alleen al het idee dat vrede beter was dan oorlog verenigde hen. Toch bleven vele meningsverschillen tussen de beide partijen bestaan. Na twaalf dagen van moeilijke onderhandelingen werd een overeenkomst bereikt. Egypte zou zijn grondgebied op het Sinaïschiereiland terugkrijgen, in ruil voor vrede.

De begrafenis van de Egyptische president Mohammed Anwar al-Sadat. Hij werd in 1981 door een islamitische extremist vermoord toen hij een militaire parade bijwoonde.

Op 26 maart 1979 ondertekenden Egypte en Israël een vredesverdrag. Dit zorgde voor woede in de Arabische wereld, die nog steeds het bestaansrecht van Israël ontkenden. De andere Arabische landen verbraken de banden met Egypte.

Ondanks het vredesverdrag werden Egypte en Israël geen bevriende naties. Op 6 oktober 1981 werd Sadat vermoord door een islamitische **extremist** die beweerde dat Sadat zijn land en religie had verraden. De relatie tussen Israël en Egypte daalde hierna weer tot een dieptepunt.

DE PALESTIJNEN EN CAMP DAVID

De Palestijnen wisten niet te profiteren van de Camp David-akkoorden.
Begin had hen enige controle over hun gebieden in het vooruitzicht gesteld, maar deze was slechts minimaal.
Ze kwamen geen stap dichter bij zelf-bestuur in Palestina.
Veel Palestijnen voelden zich verraden door Egypte.

Israël en de oorlog in Libanon

Op 6 juni 1982 viel Israël Libanon, het noordelijke buurland, binnen. Deze operatie was voorbereid door de minister van Defensie van Israël, Ariël Sharon. Het doel was het instellen van een 40 kilometer diepe '**veiligheidszone**' in het zuiden van Libanon. Hierdoor zouden Palestijnse guerrilla's niet langer vanuit hun bases in Libanon raketten kunnen afvuren naar de noordelijke Israëlische provincie Galilea.

Menachem Begin (midden) en Ariël Sharon (links) bij het Beaufort Kasteel in het zuiden van Libanon, 1982..

ARIËL SHARON, ISRAËLISCHE SOLDAAT EN POLITICUS

Ariël Sharon (geboren in 1928) nam in 1972 ontslag uit het Israëlische leger.
Toen in 1973 oorlog uitbrak met Egypte werd hij weer opgeroepen om leiding te geven aan de aanval op Egypte.
Sharon werd lid van de Knesset en trad in 1977 toe tot de eerste regering van Menachem Begin. In 2003 werd hij premier van Israël. In november 2005 kondigde hij aan een nieuwe partij op te richten, Kadima ('Voorwaarts' in het Hebreeuws).

Caption to come

De Israëliërs drongen door tot de Libanese hoofdstad Beiroet, waar zich meer Palestijnse strijders bevonden. Op 1 augustus 1982 vielen Israëlische straaljagers de stad aan. Op 12 augustus 1982 eiste de Amerikaanse president Ronald Reagan dat de gevechten zouden worden gestaakt. De Palestijnse strijders verlieten Libanon over zee in de richting van Tunesië en Jemen. Een multinationale troepenmacht uit Europa en de Verenigde Staten zag toe op de evacuatie.

De gevolgen van de Israëlische bombarde-menten op Beiroet. De Israëlische vliegtuigen hadden geprobeerd om Palestijnse bolwerken te vernietigen.

Inmiddels woedde er ook een burgeroorlog in Libanon tussen lokale moslims en Palestijnen enerzijds en Libanese christenen anderzijds. De Libanese president Basjir Gemayel was christen. Op 14 september werd Gemayel vermoord. Sommige christenen wilden wraak. Op 16 september drong een aantal aanhangers van Gemayel twee Palestijnse vluchtelingenkampen binnen. In de daaropvolgende twee dagen vermoordden ze vele Palestijnen. Israël werd ervan beschuldigd de moordenaars niet te hebben tegengehouden en ze vervolgens niet ervan hebben weerhouden om de moorden te plegen.

Eind september begonnen de Israëlische troepen zich terug te trekken uit Libanon. Thuis in Israël was de publieke opinie ernstig verdeeld over deze inval in Libanon. Velen zeiden dat het niet de zaak van Israël was om zich te mengen in de buurlanden. Ariël Sharon trad af als minister van Defensie nadat er kritiek was gekomen dat hij, als eindverantwoordelijke voor deze operatie, niet juist had gehandeld. Israël zou echter nog tot in het jaar 2000 het zuidelijke deel van Libanon bezetten.

Palestijnen over de hele wereld

In 1988 voerden de Verenigde Naties een telling uit van het aantal Palestijnse vluchtelingen: inmiddels leefden er 381.000 Palestijnse vluchtelingen in kampen op de Westelijke Jordaanoever (naast de daar al wonende Palestijnen) en 453.000 in de Gazastrook. In Jordanië bevonden zich 862.000 Palestijnse vluchtelingen; in Syrië waren het er 263.000. In totaal waren er 2.245.000 Palestijnse vluchtelingen.

Sommige Palestijnen waren weggetrokken uit de vluchtelingenkampen. Zij hadden zich vermengd met de lokale bevolking. Er bestaan geen exacte cijfers van het aantal Palestijnen dat zichzelf niet langer als vluchteling beschouwt, maar in 1988 waren er inmiddels ongeveer een miljoen Palestijnen in Jordanië, waar ze volwaardig burger konden worden.

PALESTIJNEN IN HET WESTEN

Er zijn schattingen dat ongeveer 150.000 Palestijnen naar de Verenigde Staten, 100.000 Palestijnen naar Europa en kleinere aantallen naar Australië en Latijns-Amerika zijn vertrokken. Vele afstammelingen van deze Palestijnen zijn nu volwaardige burgers geworden in hun nieuwe land.

Het Shuafat vluchtelingenkamp vlakbij Jeruzalem. Er zijn geen goede wegen of riolen, en kinderen spelen tussen het afval.

Werknemers van UNRWA laden zakken meel uit in het Jabalaya vluchtelingenkamp in de Gazastrook. UNRWA is de belangrijkste werkgever in de Gazastrook, en daarnaast ook de belangrijkste hulporganisatie in het gebied.

> **ff Als Palestijnen rouwen we om wat we verloren hebben, en maar weinig mensen hebben meer verloren dan wij. Maar het verdriet kan worden verzacht door het verbond van vrienden. JJ**
> *(Een Palestijnse christelijke vrouw)*

Dit burgerschap hielp de vele vluchtelingen om een normaal leven in hun nieuwe land op te bouwen. Tienduizenden Palestijnen in Syrië en Libanon bleven echter in de arme kampen wonen. Het was voor hen erg moeilijk om deze kampen te kunnen verlaten.

Er waren ook Palestijnen in andere Arabische landen, en ook in het Westen. Maar hoe lang een Palestijnse dokter of accountant ook al leefde in bijvoorbeeld Koeweit of Amsterdam, hij of zij vergat nooit zijn Palestijnse afkomst.

In de vluchtelingenkampen op de Westelijke Jordaanoever, Jordanië en Libanon zijn de Palestijnse vluchtelingen nooit opgehouden te hopen dat ze ooit weer terug kunnen keren naar het land en het huis dat ze achter hadden gelaten. De meeste Palestijnen realiseerden zich echter dat het niet waarschijnlijk zou zijn dat ze ooit weer terug zouden kunnen keren naar Israël. Toch is er weer hoop voor een aantal Palestijnen nu de Israëliërs een aantal nederzettingen in de Gazastrook en de Westelijke Jordaanoever hebben ontmanteld en hebben overgedragen aan de Palestijnen.

Een decennium van verandering: Israël in de jaren '80

Toen de Likoed Partij in 1977 aan de macht kwam waren er pas 30 joodse nederzettingen op de Westelijke Jordaanoever, waarin ongeveer 4.500 mensen woonden.

Zij woonden daar omdat Israël de grens tussen de Westelijke Jordaanoever en Israël veilig wilde stellen en om de grens met Jordanië te controleren. Rond Oost-Jeruzalem, dat door Israël veroverd was, woonden ook nog eens zo'n 50.000 Israëliërs.

❝ Het is ons doel om... de zionistische doelstelling in zijn volledigheid te vervullen. ❞

(In een verklaring van de nationalistische Goesh Emoniem groepering verdedigen zij hun plannen om overal op de Westelijke Jordaanoever en in de Gaza-strook nederzettingen te bouwen, waardoor overal in Palestina joden zouden kunnen wonen)

Deze foto toont gebouwen die gebouwd worden voor de joodse bevolking in de overwegend Arabische stad Hebron op de Westelijke Jordaanoever (1988).

Een gewapende Israëlische kolonist loopt door de straten van Hebron.

Vanaf 1977 werden er meer nederzettingen gebouwd. De Israëlische regering moedigde joodse kolonisten aan om te verhuizen naar de Westelijke Jordaanoever. Eind jaren '80 waren er inmiddels bijna 100.000 kolonisten op de Westelijke Jordaanoever, een paar duizend in de Gazastrook en meer dan 120.000 in Oost-Jeruzalem. Water is erg kostbaar in het droge klimaat van het Midden-Oosten, en Israël nam daarom ook de controle over de belangrijkste waterbronnen op de Westelijke Jordaanoever op zich.

Veel kolonisten waren Amerikaanse joden die behoorden tot een nationalistische religieuze groep genaamd Goesh Emoniem, wat Hebreeuws is voor 'het Blok der Getrouwen'. De religieuze kolonisten zeiden dat het hun taak was om het oude land Israël opnieuw te koloniseren. Andere kolonisten trokken naar de bezette gebieden vanwege de goedkope landbouwgrond en huizen. Vanaf 1991, na de val van het IJzeren Gordijn, trokken er ook Russische joden naar de bezette gebieden.

De jaren '80 werden in Israël gekenmerkt door politieke onzekerheid. Nieuwe politieke krachten kwamen op, waaronder ook religieuze politieke partijen zoals **Shas**. Zowel de Arbeiderspartij als de Likoed Partij wisten er niet in te slagen om alle macht naar zich toe te trekken. Daarom vormden zij enkele malen zogenaamde 'nationale regeringen' waarin zij de macht deelden.

DE SHAS PARTIJ

Shas werd in de jaren '80 opgericht als een religieuze partij voor joden van Oosterse afkomst, bijvoorbeeld joden uit de Arabische landen Irak, Syrië, Jemen, Egypte, Tunesië en Marokko. Ook joden van verder weg voelden zich aangetrokken tot deze partij, zoals joden uit India en Iran. Een belangrijke figuur in deze extreem nationalistische partij was rabbi Ovadia Yosef.

De Eerste Intifadah

Op 8 december 1987 raakten Israëlische troepen en Palestijnse jongeren op de Westelijke Jordaanoever met elkaar in conflict nadat een Israëlische vrachtwagen op een auto gebotst was waarbij vier burgers omkwamen. De Palestijnen kwamen in opstand in wat door de Palestijnen de *intifadah* genoemd werd. Dit is een Arabisch woord dat 'opstand' betekent.

Voor het eerst werden er stenen gegooid naar de Israëlische troepen. Drie dagen na het begin van de Intifadah openden Israëlische soldaten het vuur op een menigte op de Westelijke Jordaanoever, waarbij een meisje om het leven kwam.

DE OORSPRONG VAN DE INTIFADAH

De Intifadah kent zijn oorsprong in de steeds vuriger wordende wens van de Palestijnen om een eigen staat te hebben. In november 1988 riep Jasir Arafat de Palestijnse staat uit. Er waren echter maar weinig landen in de wereld die het bestaansrecht van het nieuwe land erkenden.

Palestijnse jongeren gooien stenen naar de Israëlische troepen tijdens de Eerste Intifadah.

Eind januari 1988 waren er 48 Palestijnen gedood en in september was dit aantal al gestegen tot 346. Maar aan de Intifadah leek geen einde te komen.

Geheime lokale groeperingen, waarvan ook leden van de PLO deel uitmaakten, organiseerden de Intifadah. Ook was er een Palestijnse arbeidersstaking, die grote gevolgen had voor Israël dat inmiddels afhankelijk was geworden van Palestijnse arbeiders.

Eerst probeerde Israël de leiders van de Intifadah te arresteren, maar dat zorgde er alleen maar voor dat de demonstraties heviger werden. Israël verloor over de hele wereld steun door de televisie-beelden van stenen gooiende jongeren tegenover gewapende soldaten. De manier waarop de Palestijnse moslims behandeld werden had grote invloed op andere moslims overal ter wereld. Velen keerden zich tegen Israël en tegen de Verenigde Staten, die zij ervan verdachten meer steun aan Israël te geven dan aan de Palestijnen.

Uiteindelijk verminderde de hevigheid van de Intifadah. De aandacht van de wereld verplaatste zich naar de Golfcrisis van 1990 en 1991. Veel Palestijnen bewonderden Saddam Hoessein omdat hij stelling nam tegen Israël, en daarom gaf de PLO ook zijn steun aan de Iraakse invasie van Koeweit. Dit zorgde er echter wel voor dat de Palestijnen veel sympathie in de rest van de wereld verloren. Achter de schermen waren de eerste voorzichtige toenaderingspogingen voor vrede tussen Israël en de Palestijnen inmiddels genomen. In 1993 was de Eerste Intifadah zo goed als afgelopen.

❝ Terroristen en relschoppers die onze beveiligingstroepen aanvallen zijn geen helden. ❞

(De Israëlische premier Jitschak Sjamir over de ongewapende demonstran-ten die de Israëlische strijd-krachten in de Gazastrook en de Westelijke Jordaan-oever met stokken en stenen aanvielen)

Palestijnen verbranden een Israëlische vlag tijdens demonstraties in Parijs in mei 1990. Ze protesteerden tegen de manier waarop Israël omging met de Arabische bevolking tijdens de Intifadah.

Hopen op vrede

Toen de Golfoorlog afgelopen was vond de Amerikaanse president George
H.W. Bush dat het juiste moment gekomen was om te proberen een einde te
maken aan de vijandelijkheden tussen Israël en de Arabieren, die zich al sinds
1948 voortsleepten. In oktober 1991 fungeerde hij als gastheer van een
conferentie in de Spaanse hoofdstad Madrid. Deze vredesconferentie voor het
Midden-Oosten waaraan Israël en een aantal andere Arabische staten
deelnamen was de eerste sinds 1973.

**❝ Wat we willen is een
Midden-Oosten dat niet langer
het slachtoffer is van angst en
terreur, maar een regio waar
mannen en vrouwen een normaal leven kunnen leiden. ❞**
*(De Amerikaanse president George
H.W. Bush, Madrid, oktober 1991)*

President Gorbatsjov van de voormalige Sovjet-Unie, de
Spaanse premier Felipe González en de Amerikaanse president
George H.W. Bush samen met andere wereldleiders tijdens de
vredesconferentie in Madrid in 1991.

De Verenigde Staten gebruikten al hun autoriteit en invloed om de verschillende partijen aan de onderhandelingstafel te krijgen. Voor het eerst zaten een Palestijnse en een Israëlische delegatie tegenover elkaar aan tafel (in het begin maakten de Palestijnen officieel deel uit van de Jordaanse delegatie). Dit moment leek een echte verandering in te luiden, hoewel de Israëlische onbuigzame regering, onder leiding van Jitschak Sjamir, niet van zins leek om veel toe te geven.

Na Madrid ontmoetten de Israëliërs en de Palestijnen elkaar in de volgende anderhalf jaar in nog elf conferenties in Washington. In juli 1992 nam de Arbeiderspartij de macht over in Israël. Maar de hoop op een soepelere houding vervluchtigde in december 1992 toen de Israëlische premier Jitschak Rabin 400 activisten van **Hamas**, één van de Palestijnse extremistische bewegingen die zich hadden gevormd onder de Palestijnse bevolking, deporteerde.

Ondertussen nam Bill Clinton in januari 1993 in de Verenigde Staten de macht over van president Bush. De Palestijnen waren bang dat hij minder sympathiek zou staan ten opzichte van de Palestijnen, maar hij bleek net zo begaan met de zoektocht naar vrede in het Midden-Oosten.
In 1993 besloten de Amerikanen om een actieve rol te gaan spelen in de onderhandelingen in plaats van alleen als waarnemer aanwezig te zijn.

DE CONFERENTIE IN MADRID

**Behalve Israël en de Palestijnen namen ook verschillende Arabische landen deel aan de conferentie in Madrid. Jordanië, Syrië en Egypte waren bijvoorbeeld vertegenwoordigd.
Elk van deze landen had gesprekken met Israël. Daarnaast vonden er ook onderhandelingen plaats over andere onderwerpen, zoals water, handel en veiligheid.**

Meer dan 400 Palestijnen werden in december 1992 door Israël gedeporteerd vanwege hun banden met Hamas.

De Oslo-akkoorden

Zowel Israël als de Palestijnen wilden vrede, maar beide partijen waren ook bang dat de onderhandelingen in Washington op niets uit zouden lopen. In december 1992 begonnen geheime onderhandelingen met hulp van het Noorse ministerie van Buitenlandse Zaken. Deze vonden tegelijkertijd plaats met de achtste ronde van de onderhandelingen in Washington.

Vanaf januari 1993 ontmoetten Israëlische en Palestijnse **onderhandelaars** elkaar in het geheim in Oslo, de hoofdstad van Noorwegen. De Israëlische onder-handelaars hadden in het begin geen directe banden met de Israëlische regering. De leidende Palestijnse onderhandelaar was Ahmed Qurei, die een leidende figuur was binnen de PLO (in september 2003 werd Qurei premier van de Palestijnse Autoriteit). Vanaf mei 1993 zou de Israëlische delegatie geleid worden door een diplomaat, Uri Savir.

DE OSLO-AKKOORDEN

"De regering van de staat Israël en de...Jordaans-Palestijnse delegatie komen overeen dat de tijd gekomen is om een einde te maken aan de decennia van confrontaties en conflict... en ze streven ernaar vreedzaam naast elkaar te bestaan."
(Openingstekst van de Beginsel-verklaring over Voorlopig Palestijns Zelfbestuur, onder-deel van de Oslo-akkoorden)

De Israëlische premier Jitschak Rabin (links) en Jasir Arafat (rechts) schudden elkaar onder het toeziend oog van de Amerikaanse president Bill Clinton de hand na het ondertekenen van een vredesovereenkomst tussen Israël en de PLO.

Op 20 augustus 1993 werd een overeenkomst getekend toen de Israëlische minister van Buitenlandse Zaken Sjimon Peres een bezoek bracht aan Noorwegen. De Palestijnen hoopten dat zij door dit verdrag zelfbestuur zouden krijgen in Palestina. In het verdrag stond dat na **permanente status** onderhandelingen de Palestijnen aanspraak zouden kunnen maken op hun 'legitieme rechten', wat de Palestijnen opvatten als zelfbestuur in een eigen staat. De meeste moeilijke onderhandelingspunten, zoals de toekomst van Jeruzalem en de nederzettingen en de vluchtelingenproblematiek, zouden besproken worden in de permanente status onderhandelingen.

Niet iedereen was gelukkig met de Oslo-akkoorden. De Likoed Partij was niet blij met deze overeenkomst, terwijl ook veel Palestijnen bang waren dat er te veel toezeggingen waren gedaan. Op 13 september 1993 werd op het grasveld voor het Witte Huis in Washington een ceremonie georganiseerd om de akkoorden formeel te ondertekenen. Hierop volgde in oktober 1994 een vredesverdrag tussen Israël en Jordanië, die sinds 1948 met elkaar in oorlog waren geweest.

Palestijnen in Gaza vieren de ondertekening van de Palestijns-Israëlische vredesakkoorden.

> **❝ De Palestijnen hebben vrijwel alles in ruil voor vrijwel niets weggegeven. ❞**
>
> *(Edward Said [1935-2003], Palestijnse intellectueel en professor aan de Universiteit van Columbia in New York)*

De jaren '90: een decennium van teleurstellingen

De Israëlische premier Jitschak Rabin (uiterst rechts) brengt een bezoek aan een Arabisch sprekende gemeenschap in Israël.

Het bleek zeer moeilijk om overeenstemming te bereiken over de details van de Oslo-akkoorden, over hoe het nu verder moest gaan, en dus werden er vele overlegrondes georganiseerd.

Het eerste resultaat van deze gesprekken was dat de Palestijnen enig zelfbestuur kregen over Gaza en Jericho. Daarna kregen de Palestijnen, in september 1995, zelfbestuur over een deel van de Westelijke Jordaanoever. De Westelijke Jordaanoever werd verdeeld in drie gebieden. Israël zou zich volledig terugtrekken uit de gebieden waar voornamelijk Palestijnen woonden, maar zou wel bescherming blijven bieden aan de kolonisten die in de overige delen woonden, terwijl het ook over andere gebieden zeggenschap wilde behouden in verband met 'veiligheidsredenen'.

JITSCHAK RABIN

Jitschak Rabin werd in 1922 in Jeruzalem geboren. Hij diende 27 jaar lang in het Israëlische leger om vervolgens Israëlisch ambassadeur in de Verenigde Staten te worden. In 1974 werd hij voor het eerst premier van Israël. Van 1984 tot 1990 was hij minister van Defensie, om vervolgens in 1992 opnieuw premier te worden. Hij stond bekend als een 'havik' van de Arbeiderspartij. Zijn harde benadering zorgde ervoor dat het Israëlische volk hem het vredesproces toevertrouwde. In november 1995 werd hij door een joodse extremist vermoord.

Medio jaren '90 traden extremistische Palestijnse organisaties als Hamas en de **Islamitische Jihad** steeds meer op de voorgrond. Deze groepen zeiden zich te baseren op het islamitische geloof.
Ze verworpen het vredesproces en begonnen zelfmoordaanslagen als wapen te gebruiken. Meer dan 70 Israëliërs werden vermoord in het eerste jaar nadat de zelfmoordaanslagen in april 1994 waren begonnen.

In november 1995 werd de Israëlische premier Jitschak Rabin door een **rechtse** joodse extremist vermoord. De spanningen in Israël namen toe, maar het vredes-proces werd voortgezet en er werd een Palestijnse Raad gekozen. Na de Israëlische verkiezingen van mei 1996 verloor de Arbeiderspartij de macht aan de Likoed Partij. Likoed leider Benjamin Netanyahu werd de nieuwe premier.

> **❝** We willen er zeker van zijn dat de drang naar vrede gehandhaafd blijft, dat we de beide partijen helpen om de vooruitgang die geboekt is te behouden, en dat we voortgaan op dezelfde weg. **❞**
>
> *(Voormalig minister van Buiten-landse Zaken van de Verenigde Staten Warren Christopher)*

De plaats van een zelfmoordaanslag in Jeruzalem, 1996. Een bus is opgeblazen door een Palestijnse zelfmoordterrorist.

Het 'beste aanbod'

De strategie van premier Netanyahu was om een definitieve vrede te sluiten met de Palestijnen waarin alles in één keer afgesproken zou worden.
In oktober 1998 kwam hij met Jasir Arafat overeen om de onderhandelingen over de toekomst van de Palestijnen te heropenen. In ruil moest Jasir Arafat ervoor zorgen dat het Palestijnse geweld verminderd zou worden.

Netanyahu verloor op 18 mei 1999 de verkiezingen. Een andere havik van de Arbeiderspartij, Ehud Barak, werd de nieuwe premier van Israël. Barak was vastbesloten om tot een definitieve overeenkomst met de Palestijnen te komen en de Israëlische kiezers lieten blijken het met hem eens te zijn door op hem te stemmen. In de zomer van 2000 werden nieuwe onderhandelingen gestart in wat Camp David II genoemd werd.

De Amerikaanse president Clinton kijkt toe hoe Jasir Arafat en Ehud Barak in juli 2000 elkaar de hand schudden.

In december 2000 deed Barak naar zijn zeggen een vergaand voorstel aan Arafat. Volgens Barak bevatte zijn aanbod 95 procent van de Westelijke Jordaanoever, maar de Palestijnen brachten hier tegenin dat 20 procent van het grondgebied buiten dit aanbod werd gehouden als nederzettingen of veiligheidszones. Wat overbleef was niet meer dan 80 procent van de Westelijke Jordaanoever, doorsneden door Israëlische wegen. De Palestijnen beweerden dat hen slechts beperkte zeggenschap over Jeruzalem was toegezegd, en Arafat werd gevraagd akkoord te gaan met een voorstel waarin geen van de Palestijnse vluchtelingen het recht zou hebben om terug te keren naar hun oorspronkelijke huis, die zich nu in Israël bevonden. Tot slot zou Israël ook de zeggenschap houden over de belangrijkste waterbronnen op de Westelijke Jordaanoever. Uiteindelijk besloten de Palestijnen om het aanbod van Barak af te wijzen.

> **❝ Als de vredesonderhandelingen falen zal dat de veiligheid van de Israëlische burgers bedreigen, net als het voortbestaan van Israël als joodse en democratische staat. ❞**
>
> *(Ehud Barak)*

EEN LAATSTE, LAATSTE AANBOD
Tijdens onderhandelingen in het Egyptische plaatsje Taba, eind januari 2001, deed premier Ehud Barak een verbeterd vredesaanbod aan de Palestijnen.
Maar het aanbod kwam te laat: de politieke carrière van Barak liep ten einde (zie pagina's 42 & 43).
In februari 2001 verloor hij de verkiezingen en dus de post van premier. Of het tot een akkoord had kunnen komen is onzeker, Barak wenste tijdens de onderhandelingen in Taba nog steeds geen toezeggingen te doen over de status van de Palestijnse vluchtelingen.

Linksonder: Het 'beste aanbod' volgens Barak, december 2000.

Rechtsonder: De verbeterde voorstellen van de Taba onderhandelingen in januari 2001.

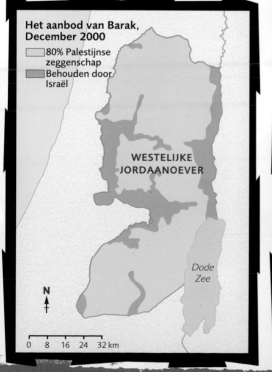

Het aanbod van Barak, December 2000
☐ 80% Palestijnse zeggenschap
▨ Behouden door Israël

WESTELIJKE JORDAANOEVER

Dode Zee

N

0   8   16   24   32 km

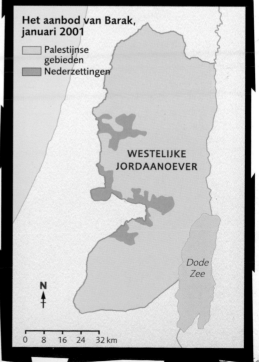

Het aanbod van Barak, januari 2001
☐ Palestijnse gebieden
▨ Nederzettingen

WESTELIJKE JORDAANOEVER

Dode Zee

N

0   8   16   24   32 km

Van Barak tot Sharon

De al-Aqsa - of Tweede - Intifadah begon op 29 september 2000 en zorgde voor veel angst en woede in Israël. Eindeloze demonstraties van de Palestijnen gingen gepaard met veel geweld. De Israëlische veiligheidstroepen sloegen hard terug, waarbij veel Palestijnen omkwamen.

Volgens Palestijnse bronnen kwamen tot maart 2004 bijna 3.000 Palestijnen om tijdens Israëlische aanvallen. Van hen zou 80 procent burger zijn en geen strijder. In april 2004 waren er inmiddels 972 Israëliërs omgekomen, waaronder 295 soldaten.

> **" Lippendiensten [gesprekken] leveren geen vrede op. Wat nodig is, is dat de militaire aanwezigheid van Israël in de Gazastrook en de Westelijke Jordaanoever wordt beëindigd. "**
> *(Saeb Erakat, de belangrijkste Palestijnse vredesonderhandelaar)*

Palestijnse jongeren vluchten als er schoten klinken in Ramallah, oktober 2000.

> **"** Als de Palestijnen kiezen voor het pad naar vrede...hebben ze in mij en mijn regering een oprechte en ware gesprekspartner. **"**
> *(Ariël Sharon)*

In februari 2001 verloor Barak in een voortdurende moeilijke atmosfeer in Israël de verkiezingen, en dus een tweede termijn als premier. Zijn opvolger was één van de meest rechtse politici van Israël, Likoed leider Ariël Sharon. Sharon zei dat hij bereid was om compromissen te sluiten met de Palestijnen, maar dat hij weigerde te onderhandelen onder wat hij noemde 'de druk van geweld en terreur'. Ook zei hij dat de Oslo-akkoorden geen dienst meer deden in de zoektocht naar vrede.

Op 24 juni 2002 sprak de Amerikaanse president George W. Bush in een toespraak uit dat de Israëliërs al hun geschillen met de Palestijnen moesten oplossen in ruil voor vrede. In april 2003 werd een Amerikaans vredesplan gepresenteerd, de zogenaamde '**Road Map**'.
Op 4 juni 2003 werd de Road Map door alle aanwezige partijen tijdens een conferentie in Akaba in Jordanië geaccepteerd. Bij deze conferentie waren onder andere de Amerikaanse president George W. Bush, de Jordaanse koning Abdoellah, Ariël Sharon en de nieuwe Palestijnse premier Mahmoud Abbas aanwezig.

De Road Map vroeg van beide partijen moeilijke toezeggingen. Israël wilde niet ophouden met het bouwen van nederzettingen en de Palestijnse autoriteiten waren niet bij machte om het geweld te stoppen. In 2004 leek de Road Map een dode letter. Israël had genoeg van het geweld en de zelfmoordaanslagen. Ondertussen was het leiden van een gewoon leven voor de Palestijnen vrijwel onmogelijk geworden vanwege de vele Israëlische wegblokkades en invallen. Voor beide partijen leek vrede verder weg dan ooit.

Van links naar rechts: toenmalig premier en huidig president van de Palestijnse Autoriteit Mahmoud Abbas, de Amerikaanse president George W. Bush en de Israëlische premier Ariël Sharon tijdens een ontmoeting in Jordanië in juni 2003.

DE ROAD MAP

In 2002 werd een internationale werkgroep ingesteld om op de vredesplannen toe te zien. Deze plannen behelsden het beëindigen van het geweld van de zijde van de Palestijnen en het beëindigen van de uitbreiding van het aantal nederzettingen van de zijde van Israël. Geen van beide partijen kon of wilde aan deze voorwaarden voldoen.

De vraagstukken

Naast het feit dat beide landen elkaar als vijanden beschouwen, strijden ze ook met elkaar omdat ze het oneens zijn over vele vraagstukken met betrekking tot hun rechten en het eigendomsrecht over de natuurlijke hulpbronnen.

Ten eerste is daar het vraagstuk over de natiestaat, of de vraag over het bestaansrecht van de staat. Palestina was door de Verenigde Naties in twee delen verdeeld, maar Israël was nu één land geworden terwijl Palestina nog steeds geen eenheid vormt. Sommigen zeggen dat dit de eigen schuld is van de Palestijnen. Of dit nu waar is of niet, 70 jaar na de opdeling door de Verenigde Naties hebben de Palestijnen nog steeds geen eigen staat.
En dan is er het vraagstuk van de vluchtelingen.
Veel Palestijnen verlieten hun huis toen de staat Israël in 1948 werd gesticht. Israël staat niet toe dat de Palestijnen die gevlucht zijn terugkeren, wat betekent dat zij nooit terug kunnen keren naar hun huis.

> **" Laat ons bidden voor de slachtoffers van het geweld, voor hun families, voor de mensen die nog steeds in angst leven. Laat ons hopen en bidden dat de angst niet omslaat in haat en wraak. "**
>
> *(Een tijdens de Wereldraad van Kerken in Jeruzalem uitgesproken gebed)*

Een Palestijnse man past op zijn schapen op een heuvel tegenover de joodse nederzetting Ma'alé Adumim op de Westelijke Jordaanoever, vlakbij Jeruzalem.

De Palestijnen zijn ook verbitterd over de joodse nederzettingen. Ze willen niet dat de Israëliërs die zijn gaan wonen op de Westelijke Jordaanoever en in de Gazastrook, die deel waren van Palestina tot 1967, in deze gebieden blijven. Voor een deel zijn ze hierin tegemoet gekomen door Sharon, die de nederzettingen in de Gazastrook eind 2005 liet ontruimen. Daarnaast vinden Palestijnse moslims èn christenen dat hun rechten over Jeruzalem, een heilige plaats voor zowel hen als de joden, ontzegd worden. Israël zal echter nooit de toegang tot de Klaagmuur in Jeruzalem, de meest heilige plaats voor de joden, opgeven.

DE VEILIGHEIDSMUUR

In 2002 begon Israël met de bouw van een muur rond de Westelijke Jordaanoever, op sommige plaatsen tot diep in Palestijns gebied. De Palestijnen vinden dat dit een nieuwe Israëlische poging is om meer gebied in te nemen, en dat deze muur het leven van duizenden Palestijnse families nadelig beïnvloedt. De Israëliërs aan de andere kant zeggen dat de bouw van deze muur de enige manier is om hun steden te beschermen tegen de bedreiging van nog meer zelfmoordaanslagen.

Voor Israëliërs ten slotte vormt de veiligheid het grootste probleem. Israël heeft er altijd voor gevreesd door Arabische binnendringers te kunnen worden vernietigd, en daarom is militaire kracht een belangrijk thema in Israël. Maar nu vormt een langzame afbraak van Israël van binnenuit door het Palestijnse geweld de belangrijkste bedreiging.

Een Palestijnse familie loopt langs de veiligheidsmuur, een betonnen versperring die Jeruzalem van de Westelijke Jordaanoever afsluit.

Een blik op de toekomst

Op 11 november 2004 overleed de oude Palestijnse leider Jasir Arafat op de leeftijd van 75 jaar. Veel Palestijnen rouwden om de dood van hun leider. Maar Israël was van mening dat nu Arafat er niet meer was de mogelijkheid was ontstaan om het conflict in het Midden-Oosten op te lossen.

Arafat had de wereld kennis laten maken met de Palestijnse problematiek, en hij had de Palestijnen door moeilijke tijden geleid. Het was ook Arafat die na zijn terugkeer in Palestina in 1994 de leiding over de Palestijnen op zich zou nemen als president van de Palestijnse Autoriteit.

" Israël begint een begraafplaats voor kinderen te worden. Het Heilige Land wordt veranderd in woestenij. Als de ene dag een Israëlisch kind wordt omgebracht, waarna de volgende dag een Palestijns kind wordt gedood, dan is dat geen oplossing. "

(Nurit en Rami Elhanan hebben hun Israëlische 14 jaar oude dochter verloren bij een zelfmoordaanslag)

Tijdens een massabijeenkomst op 15 mei 2004 riepen tienduizenden Israëliërs premier Sharon op om de joodse nederzettingen in de Gazastrook te ontmantelen en de troepen terug te trekken.

Een joodse kolonist en zijn dochter zoeken dekking voor Palestijns geweervuur tijdens een Palestijnse aanval op een joodse nederzetting.

TERUGTREKKING UIT DE GAZASTROOK

In augustus 2005 ontruimde de Israëlische regering alle nederzettingen in de Gazastrook en ook enkele nederzettingen op de Westelijke Jordaanoever. In totaal werden in de Gazastrook 21 nederzettingen ontmanteld en werden er 8.500 joodse kolonisten gedwongen om het gebied te verlaten. Op de Westelijke Jordaanoever werden vier nederzettingen ontmanteld. De terugtrekking uit de Gazastrook werd door de Palestijnen als een overwinning gevierd. Maar er is ook kritiek van de Palestijnen. Ze vinden dat Israël meer nederzettingen op de Westelijke Jordaanoever moet ontmantelen. De Israëlische premier Sharon heeft al bekend gemaakt dat hij één van de grootste joodse nederzettingen, Ma'alé Adumim, juist verder wilt uitbreiden.

Veel Palestijnen geloofden dat alleen het leiderschap van Arafat ervoor zou kunnen zorgen dat de Palestijnen een eigen staat zouden krijgen.

Na de dood van Arafat zorgden de leiders van de Palestijnse Autoriteit er snel voor dat er een plaatsvervanger benoemd werd. Mahmoud Abbas, die sinds 2003 premier was, werd tot voorzitter van de Palestijnse Bevrijdingsorganisatie (PLO) benoemd. Vervolgens werd hij gekozen tot president van de Palestijnse Autoriteit.

De Israëlische leiders hebben Arafat altijd met wantrouwen bekeken, en verborgen hun blijdschap over het heengaan van de Palestijnse leider dan ook niet. Vooral premier Sharon had altijd een hekel gehad aan Arafat. De Israëliërs maakten gauw bekend dat het opstaan van een nieuwe Palestijnse leider een ideale mogelijkheid voor nieuwe vredesonderhandelingen zou zijn. In 2005 beloofde Sharon om alle nederzettingen in de Gazastrook te ontmantelen en de Israëlische troepen terug te trekken.

Met de terugtrekking uit de Gazastrook heeft Israël een nieuwe start in het vredesproces gemaakt. Het geweld over en weer gaat echter onverminderd door. Voordat er echte vrede heerst hebben de Israëliërs en de Palestijnen nog een lange weg te gaan.

Verklarende woordenlijst

al-Aqsa, of Tweede, Intifadah gewelddadige Palestijnse protesten die in september 2000 uitbraken. Het woord intifadah betekent 'opstand' in het Arabisch.

al-Fatah Palestijnse Nationale Bevrijdingsbeweging die in het begin van de jaren '60 door Jasir Arafat werd opgericht. Al-Fatah is de belangrijkste groepering binnen de Palestijnse Bevrijdingsorganisatie (PLO).

annexeren inlijven, toevoegen aan het eigen grondgebied.

Balfourdeclaratie belangrijke brief die in 1917 geschreven werd door de Britse minister van Buitenlandse Zaken Arthur Balfour. Hij beloofde hierin dat Groot-Brittannië de joodse immigratie naar Palestina zou toestaan.

Camp David plaats in de Amerikaanse staat Maryland waar de Amerikaanse president over een landgoed beschikt om te kunnen ontspannen. Dit landgoed wordt ook gebruikt voor belangrijke internationale topconferenties.

democratie politiek systeem waarin de bevolking van een land door middel van verkiezingen bepaalt wie het land mogen besturen. In een democratie moet de overheid zich net als de bevolking houden aan de wet.

extremist iemand die geweld gebruikt om politieke veranderingen te forceren. Sommige extremisten geloven dat alle vormen van geweld, zelfs het plegen van moorden, geoorloofd zijn.

Eerste Wereldoorlog oorlog (1914-1918) tussen enerzijds de Geallieerde landen Groot-Brittannië, Frankrijk, België en de Verenigde Staten en anderzijds de Asmogendheden Duitsland, Oostenrijk-Hongarije en het Ottomaanse Rijk. De Geallieerden zouden deze oorlog winnen.

guerrilla's personen die in kleine groepjes de strijd aangaan met een regulier leger.

Hagana joodse defensiemacht in het Palestina van voor 1948. Na de stichting van de staat Israël zou de Hagana de basis vormen van het Israëlische leger.

Hamas islamitische verzetsbeweging die in 1987 werd opgericht. Hamas is zowel een politieke als militante beweging die opereert in de Gazastrook en op de Westelijke Jordaanoever. Zowel Israël als de Verenigde Staten en de Europese Unie beschouwen Hamas als een terroristische organisatie.

Hasjemitisch Koninkrijk Jordanië naam die de eerste koning van Jordanië, Abdoellah I, ter ere van zijn familie (de Hasjemieten) aan zijn land gaf.

havik 'haviken' nemen een harde politieke lijn in.

Holocaust naam die gegeven werd aan de systematische genocide tussen 1941 en 1945 door de nazi's van de joden en andere etnische en sociale groepen in Europa tijdens de Tweede Wereldoorlog. Zes miljoen joden en miljoenen anderen werden vermoord tijdens de Holocaust.

Islamitische Jihad militante beweging die over de hele wereld beschouwd wordt als een terroristische organisatie. Het doel van deze organisatie is de vernietiging van de staat Israël en de stichting van een islamitische staat voor alle Palestijnse Arabieren.

kibboetsiem een kibboets is een door een groep in bedrijf gehouden boerderij waarbij geen individuele eigendommen gelden. Kibboetsiem is de meervoudsvorm van kibboets.

Knesset naam van het Israëlische parlement.

mandaatgebied gebied of land dat in een speciale regeling bestuurd wordt door een ontwikkeld land tot dat het in staat is om zichzelf te besturen.

onderhandelaar iemand die groepen helpt om tot overeenstemming te komen over één of meerdere geschilpunten. Regeringen en landen die met elkaar in conflict zijn geraakt maken vaak gebruik van onderhandelaars om tot overeenkomst te komen.

Ottomaanse Rijk groot multinationaal rijk in het Midden-Oosten dat gedomineerd werd door de Turken. Het Ottomaanse Rijk ontstond in de 16de eeuw en hield stand tot en met de Eerste Wereldoorlog.

Palestijnse Autoriteit (PA) Palestijns bestuur van (delen van) de Gazastrook en de Westelijke Jordaanoever. De PA werd in 1994 als gevolg van de Oslo-akkoorden tussen Israël en de PLO opgericht. De PA kreeg volgens de Oslo-akkoorden in Palestijnse stedelijke gebieden ('Gebied A' volgens de Oslo-akkoorden) de zeggenschap over zowel veiligheidsvraagstukken als burgerlijke zaken. In landelijke gebieden ('Gebied B') kreeg de PA alleen zeggenschap over burgerlijke zaken.

Permanente Status Onderhandelingen onderhandelingen om tot een besluit te komen over de uiteindelijke oplossing voor het Israëlisch-Palestijnse conflict.

PLO (Palestijnse Bevrijdingsorganisatie) werd in 1964 opgericht als Palestijnse nationalistische organisatie met als doel een onafhankelijke Palestijnse staat te stichten. In 1969 werd Jasir Arafat voorzitter van de uitvoerende raad van de PLO, een positie die hij bekleedde tot zijn dood in 2004.

rechts in politieke termen wordt hiermee bedoeld dat men de individuele rechten stelt boven die van de gemeenschap en traditionele waarden stelt boven (radicale) verandering.

Road Map plan dat door de Verenigde Staten, Rusland, de Europese Unie en de Verenigde Naties werd opgesteld om het Israëlisch-Palestijnse conflict te kunnen beëindigen. De grondbeginselen van het plan werden voor het eerst naar buiten gebracht door de Amerikaanse president George W. Bush tijdens een toespraak op 24 juni 2002, waarin hij opriep tot de oprichting van een Palestijnse staat die in vrede naast Israël zou kunnen bestaan.

Shas Partij religieuze partij die werd opgericht voor joden uit het Midden-Oosten, Noord-Afrika en Zuidoost-Azië. De Shas Partij is inmiddels één van de belangrijkere partijen in de Knesset.

Sinaï woestijnachtig schiereiland tussen het Suezkanaal en de grens met Palestina, staat onder bestuur van Egypte.

Tempelberg overblijfselen van de oude joodse tempel in Jeruzalem waarop nu twee moskeeën zijn gebouwd. Joden spreken hun gebeden uit bij de 'Klaagmuur', de westelijke muur van de Tempel naast de Tempelberg.

Tweede Wereldoorlog oorlog (1939-1945) tussen de geallieerde landen Groot-Brittannië, Frankrijk en de Verenigde Staten enerzijds en nazi-Duitsland, Italië en Japan anderzijds. De Geallieerden kwamen als overwinnaars uit deze oorlog. Na de oorlog werden de Verenigde Naties opgericht als opvolger van de Volkenbond.

UNRWA hulporganisatie van de Verenigde Naties, in 1949 opgericht om de Palestijnse vluchtelingen te helpen.

Veiligheidsraad besluitvormingsorgaan van de Verenigde Naties. In de Veiligheidsraad hebben 15 landen zitting waarvan er vijf een permanente zetel met vetorecht hebben (Verenigde Staten, Groot-Brittannië, Frankrijk, Rusland, China). De overige 10 landen worden voor een periode van twee jaar gekozen door de Algemene Vergadering.

veiligheidszone strook land in Libanon die tussen 1982 en 2000 door Israël bezet werd als buffer tegen vijandelijke aanvallen.

Verenigde Naties (VN) internationale organisatie die na het einde van de Tweede Wereldoorlog in 1945 werd opgericht om als overlegorgaan voor landen te dienen met als doel oorlog te voorkomen.

Volkenbond internationale organisatie die na de Eerste Wereldoorlog werd opgericht om nieuwe oorlogen te kunnen voorkomen. In de jaren '30 bleek deze organisatie niet staat om zijn functie van overlegorgaan te kunnen waarmaken. De Volkenbond vormde de basis voor de Verenigde Naties.

Waarnemerstatus de status van waarnemer betekent dat een vertegenwoordiger van een land aanwezig is tijdens een vergadering van een internationale organisatie zonder dat deze stemrecht heeft.

zionistische beweging zionisme is het geloof van een deel van de joodse gemeenschap dat de joden een eigen land moeten hebben om in te wonen en een eigen staat moeten hebben om hen te besturen.

ISRAËL

Grondgebied:	20.770 km²
Bevolking:	6.276.883
0-14 jaar	27%
15-64 jaar	63%
65 en ouder	10%
Bevolkingsgroei:	1,2%
Levensverwachting:	79 jaar

Religies:

joods	80%
moslim	15%
christen	2%
andere	3%

Alfabetisme:	95%
BNP:	$20.800
Werkloosheidscijfer:	10,7%

WESTELIJKE JORDAANOEVER

Grondgebied:	5.860 km²
Bevolking:	2.385.615
0-14 jaar	44%
15-64 jaar	53%
65 jaar en ouder	3%
Joodse kolonisten:	187.000
Bevolkingsgroei:	3,2%
Levensverwachting:	73 jaar

Religies:

moslim	75%
joods (in de nederzettingen)	17%
christelijk (voornamelijk Arabieren)	8%

Alfabetisme:	onbekend
BNP:	$800
Werkloosheidscijfer:	50%

GAZASTROOK
(cijfers van voor de ontruiming van de nederzettingen, augustus 2005)

Grondgebied:	360 km²
Bevolking:	1.376.289
0-14 jaar	48%
15-64 jaar	49%
65 en ouder	3%
Joodse kolonisten:	8.500
Bevolkingsgroei:	3,7%
Levensverwachting:	72 jaar

Religies:

moslim	98,7%
christen	0,7%
joods	0,6%
Alfabetisme:	onbekend
BNP:	$600
Werkloosheidscijfer:	50 procent

(*Bron:* CIA World Fact Book, 2005)

PALESTIJNSE BEVOLKING VOLGENS UNRWA GEREGISTREERD ALS VLUCHTELINGEN

	Geregistreerd als vluchteling	Wonend in vluchtelingen-kampen
West. Jordaanoever	655.000	177.000
Gazastrook	907.000	479.000
Jordanië	1.719.000	304.000
Syrië	410.000	120.000
Libanon	392.000	222.000
TOTAAL	4.083.000	1.302.000

WERELDWIJDE PALESTIJNSE BEVOLKING (BUITEN ISRAËL, GAZA EN DE JORDAANOEVER)

Land/regio	Bevolking
Jordanië	2.598.000
Libanon	388.000
Syrië	395.000
Saoedi-Arabië	287.000
Golfstaten	152.000
Egypte	58.000
Andere Arabische staten	113.000
Noord- en Zuid-Amerika	216.000
Andere landen	275.000
TOTAAL	4.482.000

TOTALE PALESTIJNSE WERELD-BEVOLKING (waaronder inwoners van Israël, de Westelijke Jordaanoever en de Gazastrook, vluchtelingen en Palestijnen in andere landen en hun nakomelingen die zichzelf als Palestijnen beschouwen)

TOTAAL	8.852.574

(*Bron:* gemiddelden gebaseerd op cijfers voor de periode 2001-2003 van PASSIA, het Palestijnse Academische Genootschap voor de Studie naar Internationale Betrekkingen)

Tijdbalk

GROTE LIJNEN

100 V. CHR.		
	1 v. Chr.	Romeinse verovering van Jeruzalem
	40 v. Chr.	Herodes de Grote bestijgt de troon
	4 v. Chr.	Historische geboortedatum Jezus Christus
0		
	70 n. Chr.	Eerste joodse opstand
	73	De Romeinen veroveren de Tempel
100 N.CHR.		
	133	Tweede joodse opstand
200		
300		
	313	Romeinse keizer Constantijn verklaart het christendom tot een geaccepteerde godsdienst
400		
500		
600	**610**	De profeet Mohammed sticht de islam
	632	Arabische verovering van Jeruzalem
700	**715**	De huidige Al-Aqsa Moskee wordt gebouwd op de Tempelberg
800		
900		
1000	**1099**	Kruisvaarders veroveren Jeruzalem
1100		
1200	**1291**	Kruisvaarders worden verdreven uit Palestina
1300		
1400		
1500	**1517**	Ottomanen veroveren Jeruzalem
1600		
1700		
1800		
1900	**1878**	Eerste zionistische nederzettingen in Palestina
	1909	Zionistische immigranten stichten de stad Tel Aviv
2000		

20STE EN 21STE EEUW

1910		
	1917	Balfourdeclaratie
1920		
	1922	Palestina wordt Brits mandaatgebied
1930		
	1936	Arabische opstand
1940		
	1948	Einde van het Britse mandaat
	1948	Israëlische Onafhankelijkheids oorlog
	1948	Stichting van de staat Israël
	1949	Wapenstilstand met de Arabische buurlanden gesloten
1950		
	1956	Suezcrisis
1960		
	1964	PLO (Palestijnse Bevrijdings organisatie) opgericht
	1967	Juni- of Zesdaagse Oorlog tussen Israël en de Arab. buurlanden
1970		
	1973	Jom Kippoeroorlog tussen Israël en de Arabische buurlanden
	1979	Israël en Egypte sluiten vrede, de Sinaï wordt teruggegeven aan Egypte
1980		
	1987	Eerste Palestijnse opstand, 'Initfadah', begint
1990		
	1993	Oslo-akkoorden
	1995	Voorlopige Regering (Oslo II)
2000	**2000**	Begin van de Al-Aqsa, of Tweede, Intifadah
	2002	Sharon geeft opdracht tot de bouw van de veiligheidsmuur
	2003	De Road Map wordt gepresenteerd
	2004	Jasir Arafat overlijdt
	2005	Abbas wordt de nieuwe president van de Palestijnse Autoriteit; Israël ontmantelt de joodse nederzettingen in de Gazastrook en trekt zijn leger terug
2005		

Wie is Wie?

Abbas, Mahmoud (Aboe Mazen) Abbas werd in 1935 in Safad, in het huidige Israël, geboren. In 1948 werd hij officieel een vluchteling toen hij met zijn familie naar Syrië vluchtte. Hij studeerde in Damascus en de Sovjet-Unie en werd vervolgens in 1959 lid van al-Fatah. Hij stond altijd dicht in de buurt bij Jasir Arafat en werd 'minister van Buitenlandse Zaken' van de PLO. In 1993 was hij onderhandelaar namens de Palestijnen in Oslo. In 2003 werd Abbas voor korte tijd benoemd tot premier. In 2005 werd hij gekozen tot president van de Palestijnse Autoriteit als opvolger van de in 2004 overleden Jasir Arafat.

Abdoellah I (emir Abdoellah) Koning van Jordanië. Was één van de zonen van sjarif Hoessein van Mekka die leiding had gegeven aan de Arabische opstand tegen het Ottomaanse Rijk tijdens de Eerste Wereldoorlog. Na de Geallieerde overwinning in de Eerste Wereldoorlog nam Groot-Brittannië de controle over het Midden-Oosten op zich en kreeg het land Palestina als mandaatgebied toegewezen van de Volkenbond. De Britten benoemden Abdoellah tot emir van Transjordanië, het oostelijke deel van het Palestijnse mandaat. Later werd hij koning toen Transjordanië het onafhankelijke koninkrijk Jordanië werd.

Arafat, Jasir Geboren als Mahmud Abdul Rauf Arafat al-Qudwa in 1929, overleden in 2004. Arafat heeft altijd beweerd geboren te zijn in Jeruzalem maar hij verbleef het grootste deel van zijn jeugd in de Egyptische hoofdstad Cairo. Hij vocht als vrijwilliger in de eerste oorlog tussen Israël en de Arabieren en was in 1959 medeoprichter van de Palestijnse verzetsbeweging al-Fatah. In 1969 werd hij gekozen tot voorzitter van de PLO (Palestijnse Bevrijdingsorganisatie). Na het verplaatsen van het hoofdkwartier van de PLO van Jordanië naar Libanon gaf hij vanaf 1982 leiding aan het Palestijnse verzet tegen de Israëlische invasie van dat land. Na het ondertekenen van een vredesovereenkomst met Israël werd hij in 1993 president van de Palestijnse Autoriteit. Het is hem echter niet gelukt om voor zijn dood in 2004 een duurzaam vredesakkoord met Israël te bereiken.

Balfour, Arthur Balfour was in 1917 minister van Buitenlandse Zaken van Groot-Brittannië. Daarvoor was hij ook premier geweest. Hij stelde de zogenaamde 'Balfourdeclaratie' op in de vorm van een brief aan de zionistische leider Lord Rotschild. In deze brief beloofde hij de joden een wat hij noemde 'nationaal thuis in Palestina'. Als gevolg hiervan stonden de Britten joodse immigratie naar Palestina toe, wat uiteindelijk zou bijdragen aan het ontstaan van de staat Israël.

Barak, Ehud Barak werd in 1942 in Palestina geboren. In 1994 werd hij chef van de generale staf van het Israëlische leger, en hij bleef militair tot 1996. Barak werd in datzelfde jaar in de Knesset gekozen voor de Arbeiderspartij en diende van 1999 tot 2001 als premier.

Begin, Menachem Werd geboren in 1913 en stierf in 1992. Begin werd geboren in Brest-Litovsk (in het toenmalige Rusland). Hij werd in de jaren '30 zionist en bereikte uiteindelijk in 1942 Palestina met het Poolse

Vrije Leger. Een jaar later werd hij lid van de joodse verzetsbeweging Irgoen Zwei Leoemi die de strijd aanging met de Britten en Palestijnse Arabieren totdat Israël in 1948 onafhankelijk werd. Begin gaf van 1948 tot 1977 leiding aan de oppositie in het Israëlische parlement. Als premier (1977-1983) onderhandelde hij met de Egyptische president Sadat over vrede, die in 1979 getekend werd. Hij was fel tegen een onafhankelijke Palestijnse staat.

Ben-Goerion, David Werd in 1886 in Polen geboren en overleed in 1973. Emigreerde in 1906 naar Palestina. Tijdens de Eerste Wereldoorlog diende hij in het Joodse Legioen dat samen met de Britten strijd leverde tegen de Turken. Hij was leider van de joodse arbeidersbeweging in Palestina (1921-1933) en vanaf 1930 leider van de Arbeiderspartij. Tijdens de Tweede Wereldoorlog werkte hij samen met Britten maar na de oorlog gaf hij leiding aan de strijd tegen diezelfde Britten voor een onafhankelijk Israël. Van 1948 tot 1953 en van 1955 tot 1963 was hij premier van Israël. Hij bleef tot zijn overlijden een invloedrijk figuur in de Israëlische politiek.

Bush, George H.W. 41ste president van de Verenigde Staten (1989-1993). Bush werd in 1924 geboren. Hij organiseerde de vredesonderhandelingen van 1991 in Madrid.

Bush, George W. 43ste president van de Verenigde Staten (2001-2009). Bush werd in 1946 geboren. In 2002 zette hij het 'kwartet' op (de Verenigde Staten, Rusland, Verenigde Naties en Europese Unie) die de Road Map voor vrede opstelden.

Carter, James E. (Jimmy) 39ste president van de Verenigde Staten (1977-1981). Carter werd geboren in 1924. Hij zag toe op de vredesonderhandelingen tussen Egypte en Israël die in 1979 zouden leiden tot een vredesverdrag.

Clinton, William (Bill) 42ste president van de Verenigde Staten (1993-2001). Clinton werd geboren in 1946. Hij probeerde in 2000 en 2001 een vredesverdrag in het Midden-Oosten te forceren.

Dajan, Mosje Dajan werd in 1915 in Palestina geboren en overleed in 1981. Hij vocht in de Israëlische Onafhankelijkheidsoorlog van 1948. Vanaf 1953 was hij chef van de generale staf van de Israëlische strijdkrachten. In 1959 werd Dajan namens de Arbeiderspartij gekozen in de Knesset en hij bekleedde vervolgens verschillende ministersposten waaronder die van minister van Defensie en minister van Buitenlandse Zaken.

Eisenhower, Dwight D. 34ste president van de Verenigde Staten (1953-1961). Hij werd in 1890 geboren en overleed in 1969. Hij staat bekend om de 'Eisenhower Doctrine', waarin de Verenigde Staten bekend maakten overal ter wereld te zullen ingrijpen om te voorkomen dat het communisme zich verder zou kunnen verspreiden.

Gemayel, Basjir President Gemayel, een christelijke maroniet, van Libanon werd in 1947 geboren. Hij was de zoon van Pierre Gemayel, een oude Libanese politicus en hoofd van de rechtse christelijke Falange Partij. Tijdens de Libanese burgeroorlog gaf hij leiding aan de militante vleugel van de Falangisten. Hij werd in 1982 benoemd tot president. Enkele weken later werd hij vermoord, waarna zijn broer Amin Gemayel hem opvolgde.

Hoessein, ibn Talal Koning Hoessein van Jordanië was de kleinzoon van Abdoellah I. Hij werd in 1953 toen hij 18 jaar oud was koning van Jordanië. Hij overleed in 1999. Hij speelde een belangrijke rol in het vredesproces in het Midden-Oosten.

Nasser, Djamal'Abd al- President Nasser van Egypte werd in 1918 geboren en hij stierf in 1970. Als jonge officier was hij één van de leiders van de Egyptische Revolutie in 1952 waarin koning Faroek werd afgezet. Hij werd in 1956 president van Egypte. Nasser was een Arabische nationalist die geprobeerd heeft om een Verenigde Arabische Republiek met Syrië te stichten. Hij gebruikte hulp van de Sovjets om de Egyptische economie en strijdkrachten te versterken. In 1967 wilde hij na de nederlaag in de oorlog met Israël aftreden, maar massale volksprotesten weerhielden hem hiervan. Nasser was in tegenstelling tot vele andere Arabische leiders zeer geliefd in de Arabische wereld. Hij stierf in 1970 aan een hartaanval.

Netanyahu, Benjamin Netanyahu werd in 1949 geboren in Tel Aviv. Hij diende in de Israëlische strijdkrachten en werd antiterrorismespecialist. In 1982 ging Netanyahu werken op de ambassade in de Verenigde Staten. In 1988 werd hij gekozen in de Knesset. In 1996 werd Netanyahu premier. In 1999 verloor hij de verkiezingen en zijn post als premier. In 2002 werd hij minister van Buitenlandse Zaken. In 2005 trad hij af uit onvrede over de nederzettingenpolitiek van premier Sharon.

Peres, Sjimon Peres werd in 1923 in Wit-Rusland geboren waarna hij in 1934 verhuisde naar Palestina. Hij is voormalig soldaat en diplomaat. In 1959 werd hij gekozen in de Knesset. Peres heeft vele ministersposten bekleed en was enkele malen premier van Israël. In januari 2005 trad hij toe tot de regering als vice-premier. Verklaarde in november 2005 geen lid te worden van de nieuwe partij (Kadima) van Sharon, maar hem wel te steunen bij de verkiezingen.

Qurei, Ahmed (Abu Ala) Qurei werd in 1937 in Abo Dis op de Westelijke Jordaanoever, vlakbij Jeruzalem, geboren. Zijn vader was een welvarend zakenman. Qurei werd bankier. In 1968 werd hij lid van al-Fatah en vanaf 1970 was hij verantwoordelijk voor het investerings- en economisch bureau van de PLO. Daarna werd hij 'minister van economische zaken' van de PLO. Qurei werd een vertrouweling van Arafat en trad in 1989 toe tot het centrale orgaan van al-Fatah. In 1993 speelde hij een leidende rol als onderhandelaar tijdens de onderhandelingen in Oslo. In 1996 werd hij voorzitter van de Palestijnse Uitvoerende Raad (parlement). In 2003 werd hij premier van de Palestijnse Autoriteit.

Rabin, Jitschak Rabin werd in 1922 in Jeruzalem geboren. Namens de Arbeiderspartij werd hij in 1973 in de Knesset gekozen. Hij was tweemaal generaal in het leger, éénmaal minister en tweemaal premier, de laatste keer van 1992 tot 1995. In 1995 werd hij door een joodse extremist vermoord. In 1993 was het Rabin die de historische vrede sloot met de Palestijnen.

Reagan, Ronald 40ste president van de Verenigde Staten (1981-1989). Reagan werd in 1911 geboren en overleed in 2004. In 1982 presenteerde hij het zogenaamde Reagan Plan voor vrede in het Midden-Oosten.

Sadat, Mohammed Anwar al- Werd in 1918 geboren. Sadat was één van de leidende figuren in de staatsgreep van 1952 waarin koning Faroek werd afgezet. Tussen 1964 en 1966 en in 1969 en 1970 deed hij dienst als vice-president onder Nasser waarna hij hem in 1970 opvolgde als president. Hij begon en verloor de Jom Kippoer-oorlog. Na deze nederlaag verbrak hij de banden met de Sovjet-Unie en haalde hij de banden met de Verenigde Staten aan. Hij sloot in 1978 vrede met Israël. In 1981 werd hij door een islamitische fundamentalist vermoord.

Savir, Uri Savir werd in 1953 in Jeruzalem geboren. Hij volgde een opleiding tot advocaat en was één van de onderhandelaars namens Israël tijdens de vredesonderhandelingen in Oslo in 1993. Savir heeft verschillende functies bekleed in de diplomatie en is nu [2005] directeur van het Shimon Peres Center for Peace.

Sharon, Ariël Sharon is een politicus en een voormalige Israëlische soldaat. Hij werd in 1928 in het Britse mandaatgebied Palestina geboren. In 1973 werd hij gekozen in de Knesset en hij werd in 1981 minister van Defensie. Sinds 1999 is Sharon het hoofd van de Likoed Partij. In 2001 werd hij benoemd tot premier. In november 2005 verliet hij de Likoed Partij en richtte een nieuwe partij op, Kadima (Hebreeuws voor Voorwaarts).

Sjamir, Jitschak Sjamir werd in 1915 geboren in Polen en verhuisde in 1935 naar Palestina. Daar werd hij lid van het joodse verzet tegen de Britse autoriteiten. Hij werd in 1973 namens de Likoed Partij gekozen in de Knesset en werd in 1983 premier. In 1992 verloor hij de verkiezingen en in 1996 trok hij zich terug uit de politiek.

Truman, Harry S. 33ste president van de Verenigde Staten (1945-1953). Truman werd in 1884 geboren en overleed in 1953. Hij was in 1947 voorstander van een Resolutie van de Verenigde Naties waarin werd opgeroepen om Palestina te verdelen. Dit besluit leidde uiteindelijk in 1948 tot het ontstaan van de staat Israël.

Wilson, Woodrow 28ste president van de Verenigde Staten (1913-1921). Wilson werd geboren in 1884 en overleed in 1924. Hij was één van de medeoprichters van de Volkenbond en was mede verantwoordelijk voor het ontwerpen van het systeem van mandaatgebieden waaronder Groot-Brittannië de zeggenschap kreeg over Palestina.

Meer lezen

Bij **Uitgeverij Ars Scribendi BV / Corona**
zijn onder meer de volgende boeken verschenen:
(meer informatie op de website,
www.arsscribendi.com)

In de serie **Met het oog op...** is een titel
verschenen over Israël met meer algemene
informatie over het land.

In de serie **Feiten over...** is onder meer een titel
verschenen over terrorisme.

In de serie **Heilige Plaatsen** is onder andere een
titel over Jeruzalem verschenen.

In de serie **Internationale Vraagstukken** is
onder meer een titel verschenen over terrorisme.

In de serie **Wereldgodsdiensten** is zowel voor
een jongere als voor een oudere doelgroep een
titel verschenen over de islam en over het
jodendom.

In de serie **Midden-Oosten** wordt in
verschillende boeken meer aandacht geschonken
aan het ontstaan van het Midden-Oosten en het
conflict tussen Israël en de Palestijnen.

In de serie **Oorzaak en Gevolg** is onder andere
een titel verschenen over het conflict tussen Israël
en de Arabische landen.

Register

Register